MILLIARDÄR

LUST ODER LIEBE?

VESTA ROMERO

Milliardär - Lust oder Liebe?

KAPITEL 1

HOLDEN

Der Klang meines Weckers beförderte mich unsanft aus meinen Träumen. Übrigens war dies das erste Mal, dass ich das verdammte Ding gebraucht habe, aber nachdem das Abendessen sich zu einer durchzechten Nacht gewandelt hatte, in der wir ordentlich tranken, um auf unser neues Unternehmen anzustoßen, war klar, dass ich ihn brauchen würde, wenn ich meinen Termin heute Morgen nicht verpassen wollte.

Max, mein bester Freund und ich hatten unsere neueste Akquisition begossen, eine Produktionsstätte in der Nähe von München. Das Unternehmen stellt einzelne Bauteile für Autos her und sollte uns einen satten Haufen Geld bescheren.

Soweit ich mich zurückerinnern kann, wollte ich schon immer reich sein. Aus der Unterschicht kommend, musste ich mit ansehen, wie die Reichen immer reicher wurden, während die armen Menschen um mich herum, einschließlich meiner eigenen Familie, immer mehr ins Trudeln gerieten.

Doch mein Schicksal sollte ein anderes werden! Mich mit den mageren Ersparnissen, die mir meine Eltern nach ihrem Tod bei einem tragischen Unfall hinterlassen hatten, durch die Uni zu kämpfen, war zwar eine Tortur für sich, die mich manchmal immer noch verfolgt, aber das scheint nun eine Ewigkeit her zu sein.

Programmieren war und ist immer noch meine Leidenschaft und deshalb habe ich mich während dieser Zeit ausschließlich darauf konzentriert, mir alles selbst beigebracht und mich mit Teilzeitjobs in einem der großen Kaufhäuser über Wasser gehalten.

Eine der Apps, die ich entwickelt hatte, war auf wundersame Weise in den richtigen Händen gelandet - ein großes Tech-Unternehmen hat mich dafür großzügig entlohnt! Eine ganze Menge Geld, war das und es gab weiß Gott nichts Besseres, als mittendrin zu sein im Tech-Boom!

Dieses Startkapital brachte dann allles so richtig ins Rollen, und schon bald dehnte sich mein Portfolio auf Immobilien, Produktionsanlagen und so ziemlich alles aus, womit ich gutes Geld verdienen konnte.

Ein altes Sprichwort besagt, dass die erste Million die schwerste sei. Mein Ziel war jedoch die erste Milliarde - und als ich die hatte, wurde es tatsächlich einfacher, sie zu vermehren.

Nachdem ich von verschiedenen Magazinen zu einem der aufstrebenden Jungunternehmer und zudem mehr als einmal zu einem der begehrtesten Junggesellen der Welt gewählt wurde, ist das für mich aber zweitrangig geworden.

Die Frauenwelt scheint jedoch von meinem Geld angetan zu sein und die Damen werfen sich mir bei jeder sich bietenden Gelegenheit an den Hals, vor allem, wenn sie erstmal von meinem Vermögen erfahren haben.

Das hat mich misstrauisch gemacht und dazu geführt, dass ich mich nicht gerne binden möchte. Ich habe mich für lockere One-Night-Stands ohne Komplikationen entschieden, vor allem nach meiner schmerzhaften Trennung mit Lacey, die mir das Herz rausgerissen hatte. Damals habe ich meine Lektion gelernt: *Ich vertraue keiner Frau mehr!*

Selbst wenn ich jetzt wieder daran denke, macht mich das immer noch sehr traurig. Ich hatte ihr vollkommen vertraut und es gab nichts, was ich nicht für sie getan hätte. Doch leider beruhte alles nur auf Wunschdenken meinerseits. Für sie ging es nämlich nur um das liebe Geld! Tja, das ist jetzt alles Vergangenheit - damals stürzte ich mich in die Arbeit und das tue ich größtenteils immer noch.

Schnell geduscht und rasiert, und schon war ich wieder startklar! Wenn man mit natürlich gutem Aussehen und Selbstvertrauen gesegnet ist, geht es mit der Körperpflege definitiv schneller! Ich glaube jedoch nicht, dass ich eingebildet bin, wenn ich ganz nüchtern behaupte, dass ich ein gut aussehender Typ bin - die Frauen scheinen mein Aussehen jedenfalls zu schätzen und ich arbeite auch hart daran, in Form zu bleiben.

Immer wenn ich einen meiner neuen Maßanzüge überziehe, die extra in Florenz, einem meiner Lieblingsorte auf der Welt, angefertigt werden, fühle ich mich verdammt wohl in meiner Haut. Einer der Vorteile, wenn man Geld hat, ist, dass man einen Anzug schon vor der Ankunft bestellen kann und er in der eigenen Suite bereits auf einen wartet.

Ich packe ziemlich selten, wenn ich auf Reisen gehe und kaufe stattdessen neue Kleidung am Zielort. Dadurch fühle ich mich irgendwie schnell heimisch, weil ich mich besser in die neue Umgebung einfügen kann. Zurzeit wohne ich im Leaflee-Hotel, das zu einer der zahlreichen Hotelketten in meinem umfangreichen Portfolio zählt. Aktuell bin hier in Arelis Springs, einer recht beschaulichen Kleinstadt in Colorado, gelandet.

Eine Spontanentscheidung hatte mich dazu veranlasst, hierher zu fliegen. Ich habe nämlich vor, dieses Hotel an einige ausländische Investoren zu verkaufen, die ein riesiges Einkaufszentrum bauen wollen, das erste in dieser Stadt. Das würde mir einen ziemlich dicken Batzen Geld einbringen. Geld zu verdienen ist für mich ein Spiel, das mir einfach einen Riesenspaß macht.

Entweder ich verkaufe also mit Profit oder ich übernehme dieses Projekt gleich selbst, was mich jedoch nicht sonderlich interessiert. Meine Vision war es ursprünglich, alles abzureißen und wegen der guten Lage damit Platz für Eigentumswohnungen zu schaffen. Ich muss jedoch zugeben, dass ich es mir anders überlegt habe. Die letzte Woche, die ich in dieser bezaubernden Stadt verbracht habe, lässt mich nun an meiner Entscheidung zweifeln.

Ich habe nämlich das ungute Gefühl bekommen, dass dies letztendlich den bezaubernden Charme dieser Stadt zerstören würde. Wenn ich das an anderen Orten so sehe, fange ich allmählich an zu bereuen, dass ich mich an all dem beteiligt habe. Ich denke, wir sollten so viel von jener Schönheit zu bewahren, die in der Welt noch vorhanden ist, wie nur möglich. Diese verschwindet leider nach und nach und so sollten wir nicht alles in eine einzige Ansammlung von Fast-Food-Ketten und gleichförmigen Einzelhandelsflächen verwandeln.

Der Gedanke daran, mich in dieser Stadt niederzulassen, hat mich so sehr gepackt, dass ich ernsthaft darüber nachdenke, hier meine Zelte aufzuschlagen. Vielleicht liegt es auch daran, dass mich diese Stadt immer noch an frühere Zeiten erinnert, als alles etwas einfacher war. Die gute alte Zeit...

Einer der Gründe, warum mich Italien übrigens so fasziniert, ist die Tatsache, dass es so geschichtsträchtig ist und man täglich inmitten von Bauwerken spazieren gehen kann, die seit Tausenden von Jahren stehen. Die Rückkehr zu diesem ruhigeren Lebensstil beschäftigt mich in letzter Zeit zunehmend. Die frische Luft und die Weite der Landschaft hier geben mir ein Gefühl der inneren Zufriedenheit, also etwas, das mir in letzter Zeit gefehlt hat.

Das ist ein total neues Lebensgefühl für mich, denn London und Florenz waren in den letzten Jahren meine bevorzugten Lebensmittelpunkte. Davor war es Tokio und davor eine ganze Reihe anderer Städte. Nun, ich versuche eben, meinen Fußabdruck in fast jedem Teil der Welt zu hinterlassen.

Diese Stadt, mitten in den USA hat aber mein Herz erobert. Sie hat mich sogar so sehr verzaubert, dass ich heute einen Termin mit einem Immobilienmakler habe, der mir vier Häuser zeigen wird, die seiner Meinung nach zu mir passen könnten.

So sehr ich dieses stattliche Hotel auch mag, brauche ich doch einen privaten Rückzugsraum und da ich nicht zur Miete wohnen möchte, habe ich mich für den Kauf einer neuen Immobilie entschieden. Nach einem kurzen Blick auf die verfügbaren Häuser im Internet habe ich mich mit einem der drei Makler in der Stadt in Verbindung gesetzt, die auf meiner Liste standen.

Mein Gefühl sagt mir eindeutig, dass ich hier meinen Platz gefunden habe. Auch wenn ich nicht meine ganze Lebenszeit hier verbringen kann, wäre dies doch ein großartiger Ort, um frei durchzuatmen und meine Seele baumeln zu lassen. Irgendwie fühlt es sich richtig an, denn Arelis Springs scheint eine ganz besondere Wirkung auf mich zu haben!

Diese Investoren sitzen anscheinend wie auf Kohlen und wollen unbedingt eine Antwort von mir. Da sie mein Zögern für reine Verzögerungstaktik halten, haben sie ihr Ingebot um ein paar weitere Nullen erhöht. Ich habe ihnen versprochen, dass ich bis Ende der Woche Bescheid gebe.

Der Countdown läuft - Arelis Springs, zeig mir, was du zu bieten hast, denke ich mir, als ich zur Tür hinausgehe.

KAPITEL 2

KARA

Lustlos laufe ich auf dem Hotelgelände umher und versuche dabei, nicht zu schreien oder sonst irgendeine unerwünschte Aufmerksamkeit auf mich zu ziehen. Doch bereits jetzt sehe ich zahlreiche neugierige Gesichter direkt in meine Richtung blicken. Vermutlich sehe ich aus und klinge auch wie eine Besessene.

„Du kannst mich doch nicht mittellos zurücklassen, nach allem, was wir zusammen durchgemacht haben", heulte ich ins Telefon hinein. Diese Worte galten Shelton, meinem miesen Ex-Mann. Meine Stimme war voller Angst und zittert noch immer, doch alles, was ich zurückbekam, war Eiseskälte und den Rat, mir einen Job zu suchen, bevor er auflegte.

So sind unsere Gespräche in letzter Zeit meist verlaufen. Ich habe bloß versucht, einen fairen Anteil an dem zu bekommen, was mir nach all den Jahren der Ehe zusteht. Shelton hat sich jedoch einen Anwalt genommen und versucht, sich aus der Verantwortung zu stehlen.

Er meint, ich sei noch jung und damit durchaus in der Lage, mir einen Job zu suchen. Er sieht keinen Grund, mich bei dem Lebensstil zu unterstützen, an den ich mich gewöhnt habe. Außerdem meint er, dass er gar nicht viel Geld hat. Mein Anwalt hat jedoch herausgefunden, dass er über Vermögen verfügt, was mein Ex vor Gericht jedoch abgestritten hat.

Während wir uns am Telefon stritten, ertönte im Hintergrund die schrille Stimme seiner neuen Freundin, die ihn auch noch ermunterte - diese Schlampe! Dieses kalte, berechnende Miststück war einst meine beste Freundin gewesen, zumindest hatte ich das mal angenommen.

Meine Geschichte ist das altbekannte Lied und es fällt mir schwer zu glauben, dass *ich* ein Opfer dessen geworden bin. Ich habe es aber nicht kommen sehen, auch nicht nach über 20 Jahren Ehe mit Shelton. Wir hatten uns in der Highschool kennengelernt und gleich danach vor Familie und Freunden geheiratet. Und wir hatten uns unsterbliche und ewige Liebe geschworen. Zu glauben, wir würden zusammen alt werden, war der größte Fehler meines Lebens!

Shelton wurde als Verleger sehr erfolgreich, während ich meinen Job als Buchhalterin aufgegeben hatte und die ideale Hausfrau wurde. Ich brauchte nicht zu arbeiten, hatte er gesagt, er verdiente schließlich mehr als genug. Ich gewöhnte mich an den neuen Lebensstandard und blickte wieder zurück.

Marcia war damals meine beste Freundin, schon solange ich denken kann, mindestens aber seit frühesten Teenager-Jahren. Wir haben immer alles zusammen gemacht. Sie wusste auch alles über Shelton und mich, wie beste Freundinnen eben alles miteinander teilen, auch über unser Liebesleben, unsere Streitereien und die gemeinsamen Ausflüge.

Ich könnte mich jetzt noch in den Hintern beißen, denn anscheinend hatte sie in den letzten vier Jahren meiner Ehe bereits eine Affäre mit meinem Mann unterhalten, zumindest war er bereit, das irgendwann zuzugeben.

Marcia behauptete jedoch, dass diese „Beziehung" schon viel länger angedauert hatte und ich bin versucht, ihr zu glauben. Sie war so wütend auf mich, und auch der Triumphton in ihrer Stimme war unüberhörbar, als sie mich darüber informierte. Ich fragte mich damals, wie lange sie mich schon aus dem Weg haben wollte.

Jedenfalls bin ich jetzt, zu diesem Zeitpunkt, eine 39-jährige, kinderlose, unverheiratete und arbeitslose Frau. Es ging alles so schnell und ich wurde so gnadenlos abserviert!

Er kam eines Tages ganz normal nach Hause, sein Abendessen war wie immer fertig. Er ging jedoch nicht nach oben, um sich umzuziehen, was ungewöhnlich war, sondern schlich nervös durch die Küche und meinte nur, dass er keinen Hunger habe - und dass unsere Ehe vorbei sei und er mich aus dem Haus haben wolle. Marcia hat er dabei mit keinem Wort erwähnt.

Das Essen mit dem Roastbeef, das ich noch immer in der Hand hielt, rutschte mir aus der Hand und fiel zu Boden. Das Einzige, was zu dem Zeitpunkt im Raum zu hören war, war das Zerspringen des Tellers, denn für einen Moment verschlug es mir die Sprache.

Auf den ersten Blick schien es ein grausamer Scherz zu sein, aber leider war es ganz real. Als ich ihn um eine Erklärung bat, die nicht kam, wiederholte er einfach immer wieder das Gleiche.

Zwanzig Minuten später fuhr Marcia vor dem Haus vor, schritt triumphierend in die Küche und bestätigte das Unfassbare. Ich war vollkommen aufgelöst und konnte es nicht ertragen, sie in meiner Nähe zu haben, weil ich Angst davor hatte, was ich tun könnte. Ich eilte also nach oben, packte eine kleine Tasche und verließ schnell das Haus, während mir die Tränen über das Gesicht liefen.

Ich fuhr stundenlang ziellos umher und weinte dabei über alle Staatsgrenzen hinweg, die ich passierte. Irgendwann war ich am Ende und brauchte eine Pause. Dieses Arelis Springs schien ein guter Ort zu sein, um den Highway zu verlassen.

So landete ich hier im The Leaflee, das von außen so warm und gemütlich wirkte, dass ich mir sofort ein Zimmer nahm und inzwischen seit etwa drei Wochen hier wohne.

Zum Glück funktioniert meine Kreditkarte noch, aber wer weiß, wie lange noch. Shelton wird mir demnächst den Geldhahn zudrehen, weil er scheinbar tun kann, was er will. Meine EC-Karte funktioniert zwar nicht mehr, aber zum Glück konnte ich kurz nach meiner Ankunft eine große Summe Geld bei der Bank in der Stadt abheben.

Marcia lebt jetzt *in meinem Haus*, unterhält *meine ehemaligen Freunde* und schläft *in meinem ehemaligen Ehebett*. Wie leicht ich doch zu ersetzen war… Es ist nicht einmal so, dass Marcia hübscher oder jünger wäre als ich, aber offensichtlich hat sie etwas, das ihn betört. Ich war das perfekte Opfer, denn sie konnte ihr Insiderwissen nutzen, um ihr Ziel zu erreichen.

Wie soll ich ohne Shelton nur klarkommen? Das frage ich mich unentwegt. Wer wird jemanden wie mich denn einstellen, also jemanden ohne Berufserfahrung? Das Gefühl, ein nutzloses Überbleibsel zu sein, weil ich mich seither bei jedem Vorstellungsgespräch wie eines gefühlt habe, hat mein Selbstwertgefühl arg angekratzt - wenn ich denn mal bis zum Vorstellungsgespräch geschafft hatte.

Immer wenn diese frischgebackenen Absolventen einen Blick auf mich werfen, erfinden sie Ausreden, um mich schnell wieder loszuwerden. Ich fühle mich wie eine Aussätzige, die von der Gesellschaft verstoßen wurde.

Die Tränen fangen erneut an zu fließen, zuerst brennend heiß, doch dann gefrieren sie auf meinen Wangen durch diese kalte Luft, während sie sich ihren Weg bahnen. Ich gehe also zurück ins Hotel, um mich etwas aufzuwärmen, denn ich muss mich für eine neuerliche Runde von Zurückweisung und Demütigung wappnen. Der Kaffee in meiner Hand ist inzwischen kalt geworden und so schaue ich mich nach einem Mülleimer um, wo ich den Becher entsorgen kann - so, wie man mich entsorgt hat.

Verflucht seist du, Shelton, und auch du, Marcia. Fickt euch!

KAPITEL 3

HOLDEN

Schon beim ersten Klingeln nehme ich schnell den Hörer ab, aber eigentlich weiß schon vorher, dass es der Hotelmanager sein muss, denn außer Lucy, meiner Assistentin, weiß niemand, dass ich hier bin.

Er teilt mir mit, dass das von mir bestellte Auto unten auf mich wartet. Und so überprüfe ich mein Äußeres ein letztes Mal im Spiegel, schnappe meine Aktentasche vom Fußende des Bettes und gehe zur Tür hinaus.

In der Präsidentensuite habe ich die ganze Penthouse-Etage für mich allein! Es gibt auch einen privaten Aufzug, der mich im Handumdrehen nach unten befördert und dort angekommen, grüße kurz den Hotelmanager Mason, der schon auf mich wartet. Dann gehe zügig und zielstrebig durch die große Drehtür aus der Lobby.

Das Auto, eine schwarze Mercedes-Limousine, die bis zur Perfektion poliert ist, ist genau das, was ich haben wollte. Da ich ein großer Anhänger schlichter Eleganz bin, kann ich mit einem protzigen Rolls-Royce oder einer

Limousine dieser Art nichts anfangen. Das ist irgendwie zu behäbig und eher etwas für alte Leute, um ehrlich zu sein. Mit meinen vierzig Lenzen habe ich doch schließlich noch eine Menge Leben in mir...

Aber für's Erste konzentriere mich voll und ganz auf die Themen des anstehenden Meetings, so dass ich gar nicht bemerke, dass hier jemand in meine Richtung stürmt. Eine Frau rennt mit voller Wucht in mich hinein und verschüttet ihren Kaffee direkt quer über meinen Anzug. Sie wäre aber ganz sicher gestürzt, wenn ich sie nicht aufgefangen hätte, so schnell war sie unterwegs. Bevor ich irgendetwas sagen konnte, erklang ihre aufgeregte Stimme, die sich sofort entschuldigte.

„Es tut mir so leid! Ich habe Sie nicht gesehen", beteuert sie, während sie versucht, meinen Anzug mit einem zerknitterten Taschentuch abzuwischen, das wie von Zauberhand in ihren Händen erscheint. Ihre Stimme ist geradezu betörend und jeder Gedanke, sie zurechtzuweisen, ist auf einmal wie weggeblasen. Stattdessen ertappe ich mich dabei, wie ich mich frage, wem diese engelsgleiche Stimme eigentlich genau gehört. Ich spüre, wie mein Puls stark ansteigt, während ich sie zum ersten Mal eingehender betrachte.

Vor mir steht eine wahre Göttin! Am liebsten würde ich sie in den Arm nehmen, um ihr zu versichern, dass alles gut werden wird. Ihre Augen sind nämlich reichlich verquollen und mir wird klar, dass sie eben noch geweint haben muss.

In meinen Adern brodelt die blanke Wut - und zwar gegen denjenigen, der für ihre Tränen verantwortlich ist! Obwohl ich dieser Dame eben erst begegnet bin, möchte ich sie vor allem Schrecken der Welt beschützen und das ist ein irres Gefühl!

Ihr Haar kastanienbraunes Haar fällt engelsgleich über ihre Schultern und erst ihre weiblichen Rundungen... Diese sind schlicht, aber stilvoll gekleidet und ihre großen braunen Kulleraugen und die etwas größere Nase verleihen ihr ein fast schon aristokratisches Aussehen. Genauso verlockend sind ihre vollen Lippen.

Meine Blicke werden magisch gelenkt und so kann ich unmöglich widerstehen, ihre üppigen Brüste zu bewundern, die sich unter dem blauen Oberteil mit V-Ausschnitt fast schon hypnotisch auf und ab bewegen. Die Hüften der schönen Unbekannten sind breit und ausladend, wie es sich für eine richtige Dame gehört. Mein bestes Stück schwillt sofort bei diesem köstlichen Anblick an und Gott weiß, ich würde alles dafür geben, sie gleich hier in meinen Armen zu nehmen, selbst unfreiwillige Zuschauer wäre mir dabei komplett egal.

Diese Kleine macht mich verrückt mit ihrem sexy, kurvenreichen Körper. Ein Blick genügte und es war um mich geschehen! *Ist das Liebe auf den ersten Blick oder bloß Lust?* Ich bin mir nicht sicher, Liebe kann es doch wohl kaum sein, so versuche ich mir wenigstens einzureden.

Zu so intensiven Gefühlen bin ich doch gar nicht mehr fähig, seitdem ich mich für ein Junggesellendasein entschieden hatte. Doch da ist plötzlich auch dieser Wunsch, es genau herauszufinden, und der beherrscht mich. Ich bin so verblüfft, dass ich gar nicht bemerke, dass sie noch etwas zu mir sagt. *Nimm dich zusammen, Holden! Konzentriere dich!*

„Wohnen Sie hier im Hotel?“, fragt sie wiederholt.

„Ähm... ja, das tue ich. Sie auch?“

„Ich werde natürlich für die Reinigung aufkommen. Es tut mir wirklich leid“, sagt sie und klingt dabei so traurig, als würde sie gleich wieder anfangen zu weinen.

„Machen Sie sich bitte keine Gedanken darüber. Das ist keine große Sache“, antworte ich so sanft wie möglich.

Vorerst nehme ich ihr das Taschentuch, mit dem sie meinen Anzug ständig abreibt, aber aus der Hand, weil das den Fleck nur noch größer macht. Unsere Hände berühren sich so zum ersten Mal und ich bekomme sofort eine Gänsehaut.

Ich spüre, wie sich meine Nackenhärchen aufstellen, ganz zu schweigen von der Tatsache, dass ich damit kämpfe, den rabiaten Drang meiner geballten Männlichkeit weiter unten zu kontrollieren. Erstmal trete ich einen kleinen Schritt zurück, damit sie die Ausbeulung nicht spürt. Ich will ja sie nicht noch mehr aufwühlen, als sie es ohnehin schon ist. *Was zum Teufel ist eigentlich mit mir los?*

„In welchem Zimmer wohnen Sie? Ich werde den Anzug von der Reinigung abholen lassen.“

„Wirklich, das ist nicht nötig. Ich kümmere mich darum“. Der Anzug ist ja wirklich nachrangig, stattdessen versuche ich lieber herauszufinden, wie ich mit ihr in Kontakt bleiben kann, denn sie hat meine letzte Frage überhaupt nicht beantwortet. *Ich muss sie unbedingt wiedersehen!*

KAPITEL 4

KARA

Während ich um die Ecke biege und auf die Eingangstreppe des Leaflee zusteuere, kreisen meine Gedanken noch immer um das letzte Gespräch mit Shelton. Ich kann unmöglich mit ihm wegen der mageren vorgeschlagenen Unterhaltsregelung in den Krieg ziehen, denn einen hochklassigen Anwalt zu engagieren, ist für mich unerschwinglich. Mein jetziger Rechtsbeistand wird von seiner renommierten Anwaltskanzlei sicherlich in der Luft zerrissen.

Als wir damals geheiratet haben, war ein Ehevertrag geradezu ein Fremdwort und außerdem hatte eh keiner von uns beiden irgendein Vermögen, das wir hätten beschützen können. Damals waren wir uns unserer Liebe und einmaligen Bindung unendlich sicher.

Wie grausam die Welt doch geworden ist. Mit jedem Gespräch fühle ich mich mehr und mehr machtlos, denn auch wenn ich mal nicht direkt mit Marcia sprechen muss, gackert sie ihm ständig ins Ohr. Es ist, als ob er kein Rückgrat hätte, denn er sagt nie etwas, um sie zu stoppen.

Was dann geschah, ist wie in diesen kitschigen Romanzen. Während ich verzweifelt in meiner Tasche nach meiner Sonnenbrille suchte, um meine Tränen zu verbergen, war mir gar nicht bewusst, dass ich mich auf Kollisionskurs mit dem Schicksal befand.

Diese schwarze Limousine war zwar in meinem Blickfeld, ebenso wie die zunächst verschwommen wirkende Gestalt, die gerade die Treppe herunterkam, aber es war zu spät, so dass ich mit voller Wucht in den Fremden gekracht bin und dabei seine Aktentasche zu Boden befördert habe.

Das erste, was mir jetzt auffällt, sind sein markantes Kinn und sein dunkelbraunes Haar. Dieses Exemplar muss einer der attraktivsten, wenn nicht der attraktivste Mann sein, den ich je gesehen habe und so starre ich ihn unwillkürlich an.

Er bewegt sich mit der Leichtigkeit eines selbstbewussten Machers und ich kann nicht fassen, dass ich ihm so nahe gekommen bin! Genau in ihn hinein bin ich getrampelt und der Kaffee ergießt sich zu allem Überfluss auch noch wie in Zeitlupe auf seinen Anzug. Gott sei Dank ist er schon kalt, sonst hätte ich Gottes perfektem Meisterwerk von einem Mann auch noch Schmerzen zugefügt.

Und nun ertappe ich mich dabei, wie ich seinen Anzug instinktiv mit meinem Taschentuch abreibe, obwohl ich ihm am liebsten das Hemd vom Leib reißen würde, um seine Brustmuskeln zu entblößen und mich von ihm durchnehmen zu lassen.

Und als er meinen Arm berührt, bekomme ich weiche Knie und kann nur noch mit Mühe halbwegs aufrecht stehen bleiben. Mein Blut ist in Wallung - von meinem Kopf bis hinunter zu den Zehenspitzen und ich spüre so vertraute Feuchtigkeit zwischen meinen Schenkeln... Ich wünschte, er würde mich für immer festhalten.

Stattdessen nimmt er meine Hand von seinem Körper, und zwar schnell, etwas zu schnell - zu meinem Entsetzen! *Ich kann es ihm ja irgendwie nicht verübeln,* denke ich. Ich weiß ja, dass ich mausgrau erscheinen muss. Ein schicker Typ wie er hat wahrscheinlich jede Menge heißer Frauen an jedem Finger beider Hände, die ihm zu Füßen liegen.

Am liebsten würde ich mich verkriechen und vor Scham in Luft auflösen! Stattdessen frage ich aber nach seiner Zimmernummer, um eine Ausrede zu finden, ihn wiederzusehen.

Ich werde für die Reinigung bezahlen, versichere ich ihm. Das wird das wenige Geld, das mir noch bleibt, komplett auffressen, das weiß ich jetzt schon, aber was soll's? Ich würde das sicher nicht über die Kreditkarte abrechnen, weil Shelton wohl ausflippen würde, wenn er die Reinigung eines Herrenanzugs auf der Abrechnung sähe.

Dieser Traummann lehnt ab und ich bin geschlagen. Das steigert nicht gerade mein Selbstwertgefühl. Dieses Zusammentreffen ist wohl einmalig und das wird auch so bleiben. Ich bin eindeutig nicht sein Typ.

Nachdem er mein Angebot ein weiteres Mal abgelehnt hat, entschuldigt er sich und verschwindet wieder im Hotel. Alle Augen sind jetzt auf mich gerichtet. Mitleidige

Blicke der Leute, die sich am Eingang des Hotels tummeln, bohren sich wie Dolche in meine Seele. Sogar im Café gleich neben dem Hotel gibt es Gaffer, die angestrengt auf den Tumult blicken.

Die Neigung, diesen Leuten entgegen zu schreien, dass ich das nicht mit Absicht getan habe, wird sekündlich größer. Nervös lächelnd drehe ich mich um, winde mich vorsichtig die Treppe hinauf, denn meine Nerven liegen blank, und ich gehe zurück in mein Zimmer.

Diese Begegnung lässt mich nun wirklich daran zweifeln, ob Arelis Springs etwas für mich ist. Meine ursprüngliche Absicht, hier kurz abzusteigen, hatte sich in einen längeren Aufenthalt verwandelt, um einen Neuanfang zu wagen.

Die Stadt hat nur noch einen Tag Zeit, mich zu überzeugen, hier zu bleiben. Wenn ich heute keinen Job finde, werde ich morgen aus dem Hotel auschecken und mich in eine noch kleinere Stadt begeben, oder aber in irgendeinen Ort, in dem es einen Job und niedrigere Lebenshaltungskosten für mich gibt.

Bislang hat sich Arelis Springs als ein Reinfall erwiesen. Jedes Vorstellungsgespräch, das ich in der Umgebung hatte, war umsonst. Entweder bekomme ich keine Rückrufe oder man sagt mir gleich ganz offen, dass ich zu wenig Erfahrung hätte. Nur eine einzige freundliche Frau hatte mich ehrlich darüber informiert, dass diese Unternehmen nur junge Leute einstellen wollen, aber alle Bewerber eingeladen werden, damit nicht der Eindruck der Diskriminierung entsteht. *Aber seit wann ist man mit 39 Jahren bereits ein lebendes Fossil?*

KAPITEL 5

HOLDEN

So zu handeln und einfach wegzulaufen, lässt mich wie einen Vollidioten aussehen, ich weiß... Aber ich musste es tun! Ich musste meine Nerven erstmal beruhigen und diesen klebrigen Anzug ausziehen. Außerdem brauchte ich eine kalte Dusche, denn es ließ sich ja nicht leugnen, wie erregt ich von dieser mysteriösen Sexbombe war, die meine ganze Entschlossenheit im Handumdrehen auf den Kopf gestellt hatte.

Mein Gott, wie idiotisch war das bloß? Ich hätte auf ihr Angebot mit der chemischen Reinigung eingehen sollen. Dann hätte ich wenigstens ihren Namen erfahren und könnte mit ihr in Kontakt bleiben.

Wohnt sie nun auch im Hotel oder besucht sie nur jemanden? Wer hatte sie so sehr verletzt, dass sie geweint hat? Ihre Tränen waren ja nicht zu übersehen und auch ohne ein Genie zu sein, ist klar, dass es ein Mann gewesen sein muss. *Ihr Ehemann, ihr Freund oder ihr Kind? Was steckt dahinter?* Meine Neugierde und mein Drang, sie zu beschützen, werden immer stärker.

Liegt das etwa daran, dass ich mich in ihr wiedererkenne? Lacey hatte mich einst so sehr verletzt, dass ich fast weinen musste. Das war das erste und einzige Mal, dass ich nach so vielen Affären jemandem gestattet habe, mir wirklich nahe zu kommen. Sie hatte mich wirklich in dem Glauben gelassen, dass sie mich liebt - und nicht nur mein Geld.

Sie hatte mich betrogen, indem sie mit einem Model fremdging! Ein Kerl, den sie in ihrem Schauspielkurs kennengelernt hatte. Er war anscheinend ziemlich schockiert, dass sie einen Lebensgefährten hatte. Herausgefunden hatte er es erst, als wir eines Abends zum Essen aus waren.

Ich hatte mich nur kurz entschuldigt, um einem Bekannten Hallo zu sagen, und als ich zurückkam, fand ich ihn vor mir, wie er sie zärtlich berührte und küsste, während sie vergeblich versuchte, ihn aufzuhalten. Aber es war zu spät, ich hatte schon alles gesehen, was ich sehen musste.

Sie weinte und flehte um Verzeihung und verursachte einen irren Aufruhr im Restaurant, konnte es aber immerhin nicht leugnen, da wir beide anwesend waren. Wir Männer waren beide verarscht worden! Nachdem er ihr ein paar ehrliche Worte an den Kopf geworfen hatte, rauschte er davon. Und ich tat es ihm gleich.

Nach langem Grübeln und einer Paartherapie auf ihr Geheiß hin, willigte ich ein, es noch einmal zu versuchen. Mir fiel jedoch auf, dass ich ihr das unmöglich würde verzeihen können. Dass sie dann noch eine zweite Affäre mit einem anderen Typen aus dem Kurs hatte, machte mir die letztendliche Entscheidung einfach.

Und ihre Ausrede? Das wäre „method acting“ gewesen - die einzige Möglichkeit, wirklich realistisch in diese Rolle zu schlüpfen! Da ich nicht in der Stimmung für weitere Lügen war, schickte ich sie zum Teufel. Seitdem habe ich mein Herz unter Verschluss gehalten, aber diese Sache hat mir noch lange danach wehgetan. Jetzt aber... hat diese Frau durch eine einzige rein zufällige Begegnung alle Barrieren eingerissen und mein Herz befreit.

Aber zuerst muss ich mal ihren Namen herausfinden und natürlich ihren Wohnort. Das kann doch nicht so schwer sein, hoffe ich wenigstens. Mit etwas Glück wohnt sie sogar im Hotel. Mason wird meine erste Informationsquelle sein, denn er scheint über alles Bescheid zu wissen, was in diesem Hotel vor sich geht, das er obendrein sehr gut zu leiten scheint.

Nach meiner in der Tat sehr kalten Dusche ziehe ich mich wieder an, diesmal ein dunkleres Hemd und einen ebenso dunklen Anzug, und gehe ein weiteres Mal zur Tür hinaus. Natürlich hatte ich mein morgendliches Meeting erstmal verschoben.

Meine Mission, mich mit der geheimnisvollen Unbekannten zu treffen, hat eindeutig Vorrang, zumindest für heute Morgen. Einer der Vorteile, wenn man reich ist, ist, dass einem die Leute so manches durchgehen lassen, vor allem, wenn es für sie um Geld geht, also war es nicht schwer, den Termin zu verschieben.

Diesmal war es Masons Assistent, der neben dem Aufzug auf mich wartet. Natürlich ist er wie auch Mason immer auf Abruf bereit, wie es jeder gute Manager tun würde. Ich frage ihn so beiläufig wie möglich, ob er weiß, wer die Frau mit dem Kaffee denn ist.

„Sie ist nicht von hier. Ich glaube, sie ist nur auf der Durchreise, aber sie ist ein Gast des Hotels".

„Und sie reist allein?" Ich kann mich nicht zurückhalten, ich muss es einfach wissen!

„Ja, Sir. Ganz allein. Zufälligerweise ist sie gerade in einer Besprechung mit Mr. Mason", fügt er mit leicht verschwörerischer Stimme hinzu.

Ich versuche, gelassen zu klingen, während ich ihn frage, wo genau das Treffen denn stattfindet. Er teilt mir mit, dass es in Masons Büro stattfindet und dass er mir gerne zeigen kann, wo ich es finde. Und so folge ich ihm in den Westflügel des Hotels, aufgeregt und nervös zugleich ob des Gedankens daran, *sie* wiederzusehen.

Die Neugierde überkommt mich nun immer mehr. *Warum in aller Welt sollte sie sich mit Mason zum Gespräch treffen? War er gar der Grund für ihre Tränen?* Falls ja, schwöre ich, dass ich ihn sofort feuern werde.

Bevor er an die Tür klopfen kann, schicke ich den Assistenten weg und versichere ihm, dass ich die Sache selbst in die Hand nehme. Enttäuscht und mit hängenden Schultern zieht er ab, aber das ist mir egal. Ich will mich gerade bemerkbar machen, als ich die beiden reden höre. Meine Neugierde übernimmt die Kontrolle und ich kann nicht widerstehen, zu lauschen...

KAPITEL 6

KARA

„Es tut mir leid, Madame. Leider glaube ich nicht, dass dieser Job für Sie geeignet ist. Ich brauche jemanden mit Erfahrung."

So lauten die Worte des Hotelmanagers, mit dem ich seit etwa zwanzig Minuten über mein Anliegen spreche.

Doch zuvor war ich zunächst auf mein Zimmer gegangen, um mich frisch zu machen. Mein Plan für den Tag sah vor, alle Geschäfte und Büros in der Nähe des Hotels abzuklappern, die ich in den letzten Tagen ausgelassen hatte. Anfänglich war ich ein bisschen wählerisch vorgegangen und hatte Restaurants und Ähnliches ignoriert.

Stolz kann ich mir aber nicht länger leisten, denn es muss etwas passieren und zwar verdammt schnell, denn meine Reserven schmelzen dahin wie Butter in der Sonne. Deshalb hatte ich mir nun auch vorgenommen, die Diners und Coffeeshops aufzusuchen.

Als ich mich nach einer schnellen Dusche aber der

Hotellobby näherte, bemerkte ich aus dem Augenwinkel eine Korkplatte und ging näher heran, um diese unter die Lupe zu nehmen. Es stellte sich heraus, dass es sich um eine kleine Ausschreibung handelte, die zwischen die Stapel von Flyern gerutscht war, die für Aktivitäten wie Skikurse, Wanderungen und andere in der Gegend beliebte touristische Aktivitäten warben.

Darauf war in Schönschrift zu lesen, dass man in genau diesem Hotel jemanden für die Buchhaltung suchen würde. Mein Herz schlug sofort schneller, weil ich wusste, dass das etwas für mich sein könnte. Schließlich habe ich jahrzehntelang unsere Haushaltsfinanzen in Ordnung gehalten, außerdem hatte ich jedes Jahr unsere Steuererklärung übernommen - und diese wurde noch nie beanstandet.

Laut diesem Mann ist das aber nicht genug. Ohne richtige Referenzen kein Job in der Buchhaltung. Die Tatsache, dass ich keine habe, versperrt mir einmal mehr den Weg zu seiner Chance.

„Ich lerne schnell. Bitte geben Sie mir eine Chance und ich werde es Ihnen beweisen!“ sage ich mit brüchiger Stimme und zunehmend angsterfüllt. Ich kann das Mitgefühl in seiner Stimme heraushören, während er trotzdem einmal mehr beteuert, dass er nichts für mich tun kann. Er erklärt mir, dass er aufgrund der Firmenpolitik keine andere Wahl hat. Also frage ich ihn, ob er von anderen offenen Stellen weiß.

Ich bin motiviert, alles zu tun, Böden zu fegen, vielleicht als Zimmermädchen zu arbeiten? Alles, nur um einen Fuß in die Tür zu bekommen...

„Es tut mir leid, wirklich“, sagt er mit leiser Stimme.

„Ich wünschte, ich könnte Ihnen irgendwie helfen, aber das kann ich wirklich nicht."

„Danke", sage ich schließlich resigniert. Ist das zu fassen, ich habe fast schon Mitleid *mit ihm,* weil er sich sichtlich unwohl fühlt. Aber ich kann wohl nicht erwarten, dass er seinen Job aufs Spiel setzt. Immerhin würde ich mit Firmengeldern hantieren. Wie könnte er einer Fremden vertrauen, egal wie verzweifelt die auch sein mag, die keinerlei nachprüfbare Erfolgsbilanz hat?

Ich wollte ihm gerade vorschlagen, mich eine Woche lang unbezahlt einzustellen, wie eine Art Praktikum, während er meine Arbeit bewerten könnte. Ich wollte schlicht einen letzten verzweifelten Versuch zu unternehmen, um einen Fuß in die Tür zu bekommen, als es plötzlich an der Tür klopfte.

Die Erleichterung in den Augen des Managers ist offensichtlich, denn ich weiß, dass er mich so schnell wie möglich loswerden will, und diese Störung ist dafür perfekt geeignet. Tja, ich hatte mir diese Karte geschnappt und mich kurzerhand auf den Weg zu ihm gemacht, nachdem mich jemand an ihn verwiesen hatte. Und dann hatte ich ihn praktisch um ein Vorstellungsgespräch angefleht und er hatte schließlich zugestimmt, mich anzuhören.

Eine weitere Ablehnung, eine weitere Demütigung folgte. *Werde ich jemals eine Chance bekommen?* Es scheint, dass diese Stadt doch nichts für mich ist. Und nun? Heißt das, ich muss zurückgehen und bei Shelton um ein paar Krümel betteln?

Wieder einmal wird klar, wie unerwartet es passieren kann, von der Mittelschicht in die Obdachlosigkeit abzugleiten. Mir kommen gleich wieder die Tränen, weil das alles so ungerecht ist!

In genau diesem Moment kommt *er* herein und trotz meiner misslichen Lage schreie ich überrascht auf. Dieser Mann ist *der Lichtblick* an diesem sonst so beschissenen Tag!

KAPITEL 7

HOLDEN

Allein ihre Stimme durch die geschlossene Tür hindurch zu hören, bringt meine Lenden wieder in Wallung. Ich wünsche mir nichts sehnlicher, als ihr Held und Beschützer zu sein. Ein eilig geschmiedeter Plan kommt mir nun in den Sinn und ich mache mich sofort daran, ihn in die Tat umzusetzen.

Bevor ich mir den Gedanken ausreden kann, klopfe ich also gegen die Tür. Ich höre ein kurzes Zögern und eine Entschuldigung und dann kommt Mason zur Tür.

Anscheinend will er gerade irgendetwas sagen, aber dann bemerkt er, dass ich es bin und öffnet die Tür weit, damit ich eintreten kann. Beim Eintreten bemerke ich, dass die geheimnisvolle Frau sich umgezogen hat und jetzt eine geblümte Bluse und eine schlichte schwarze Hose trägt.

Ihr Haar hat sie hochgesteckt und mir fällt auf, dass einige bildhübsche Strähnchen an den Seiten herunterfallen und ihr Gesicht zauberhaft umrahmen. Ihre

Wangenknochen und ihre zarte Haut werden dadurch perfekt betont. Obwohl sie versucht, lässig zu wirken, verströmt sie etwas gänzlich anderes.

Im Gegenteil, sie ist verdammt heiß und mich überkommt der innere Drang, sie sofort umarmen zu wollen. Aber letztlich ist es ihr schüchternes Lächeln, das mein Herz zerfließen lässt.

„Entschuldigung, ich habe zufällig Ihr Gespräch mitangehört." Schnell drehe ich mich zu Mason um und schreite zur Tat: „Nun... Ich glaube, ich habe genau die richtige Kandidatin für eine vakante Stelle gefunden." Mason sieht mich verwundert an, sagt aber kein Wort. Er hat es schnell kapiert. Ein cleverer Bursche.

Nun wende ich mich wieder meiner Traumfrau zu und sage zu ihr: „Ich brauche eine persönliche Assistentin, solange ich hier in Arelis Springs bin. Wäre das für Sie von Interesse?" Ich weiß genau, wie die Antwort ausfallen wird...

Just in diesem Moment entschuldigt sich Mason und verlässt den Raum. Ich bin mir sicher, dass er inzwischen verstanden hat, dass ich ein besonderes Interesse an dieser Frau hege. Mit dieser Art von Diskretion hat er bei mir einen Job fürs Leben.

Ihre Augen werden groß, dann erhebt sie sich schnell und macht einen Schritt auf mich zu. In ihrer Eile stolpert sie jedoch und befindet sich wieder auf dem Weg zu Boden.

Mit einer schnellen Bewegung, ganz im Ritter-Modus, fange ich sie auf, bevor sie zu Boden gehen kann. Dabei genieße ich den Duft ihres köstlichen Parfüms, während ihr Kopf in Windeseile auf meiner Brust ruht. Meine

Arme umschließen ihre verlockenden Hüften und es gelingt mir, sie zu beruhigen.

Eine Minute lang steht die Zeit still, und keiner von uns beiden spricht. Dieser innere Drang, ihr Oberteil zu greifen und diese prächtige Oberweite zu befreien, wird dabei immer stärker.

Doch auch so spüre ich, wie hart ihre Nippel sind und ich frage mich, ob sie auch meinen steinharten Schwanz spüren kann. Schüchternd und zögernd zugleich weiche ich zurück. Mit geröteten Wangen tritt auch sie ein paar Zentimeter weg, was mich vermuten lässt, dass sie ihn tatsächlich fühlen konnte.

„Ich schwöre Ihnen, ich bin sonst nicht so ein Tollpatsch", sagt sie entschuldigend.

„Schon okay. Sieht aus, als stünden Sie unter großem Stress."

„Ich habe wirklich viel um die Ohren", sagt sie nach einer kurzen Pause. Es scheint beinahe, als wolle sie gerne mehr sagen, sich vielleicht jemandem anvertrauen, sogar einem Fremden wie mir, aber sie überlegt es sich anders.

„Ich weiß Ihr Angebot wirklich zu schätzen, aber ich muss ehrlich sein."

„Ehrlichkeit steht bei mir hoch im Kurs, immer raus damit", ermutige ich sie.

Sie räuspert sich: „Schauen Sie, ich war mein ganzes Leben lang bloß Hausfrau. Ich habe keine Erfahrung, zumindest nicht die, nach der Arbeitgeber suchen. Echte Lebenserfahrung scheint ja nicht zu zählen. Falls Sie also Ihr Angebot zurücknehmen möchten, verstehe ich das vollkommen."

Dieses Geständnis erfolgt ohne jedes Zögern, was ich

sehr beeindruckend finde. Ihr Gesichtsausdruck hat sich inzwischen in einen Ausdruck der Angst verwandelt. Angst vor Ablehnung vielleicht? Angst vor eigener Reue über ihre Ehrlichkeit? Ich kann mich nicht entscheiden, was von beidem hier zutrifft. Ich möchte sie an dieser Stelle bloß noch beruhigen.

„Ich habe nur eine brennende Frage“, antworte ich ernst.

„Und die wäre?“ fragt sie und schaut mich mit diesen verträumten, aber immer noch ängstlichem Augenausdruck an.

„Wie lautet dein Name? Ich heiße Holden, bitte sagen Sie doch du zu mir!“ Mit diesen mutigen Worten strecke ich ihr meine Hand entgegen.

Ihre Schultern entspannen sich jetzt etwas und sie belohnt mich mit einem Lächeln. Endlich ein Lächeln von meiner geheimnisvollen Liebsten, deren Namen ich nun endlich erfahren werde.

„Kara“, sagt sie schlicht, während sie mir die Hand schüttelt.

„Kara“, wiederhole ich und schüttle ihre Hand ein bisschen zu lange, während ich ihr tief in die Augen schaue. Ich bin ab sofort für immer in diesen Tiefen gefangen.

Ihre Hände sind weich, ihre Fingernägel manikürt und poliert, was ein sicheres Zeichen für jemanden ist, der nicht viel mit seinen Händen gearbeitet hat. Mir fällt auch auf, dass sie keinen Ehering trägt - mein Herz tanzt vor Freude!

„Um die Details deiner Anstellung können wir uns später kümmern. Aber jetzt haben wir erst einmal einen

Termin, vorausgesetzt, du kannst sofort anfangen. Bist du bereit?“

„Mein Gott, ja! Danke, danke“, wiederholt sie immer wieder, bevor sie eilig ihre Tasche schnappt und voll motiviert aber übervorsichtig vor dem nächsten Stolperer losstürzt. Das nötigt mir ein weiteres Lächeln ab.

Ich war noch nie glücklicher mit der impulsiven Entscheidung von jemandem.

KAPITEL 8

KARA

Wieder einmal blicke ich in das hässliche Gesicht der Ablehnung und finde mich mit der Tatsache ab, dass ich meinen Stolz herunterschlucken und Shelton oder besser gesagt Marcia um Geld bitten muss, da sie nun jetzt diejenige ist, die seine Geldflüsse kontrolliert.

Als ich gerade aufstehen will, klopft es plötzlich. Nur Augenblicke später höre und sehe ich den sexy Mann von heute Morgen vor mir! Er muss seine Meinung über die Reinigung seines Anzugs geändert haben, nehme ich an.

Ich schäme mich dafür, dass dieser Mann mich am Tiefpunkt meines Leben sieht. Als ich ihn das erste Mal traf, sah er mich schon weinen, jetzt hört er mich sogar betteln. Meine Erniedrigung ist damit vollkommen. Nun, wenn es regnet, dann richtig, nicht wahr?

Leider bekomme ich nicht wirklich mit, was zwischen den beiden gesagt wird, aber er dann auf mich zugeht und eine Möglichkeit erwähnt, für ihn arbeiten zu können, verschlucke ich fast meine Zunge vor freudiger Überraschung.

Meint dieser heiße Retter in der Not etwa mich? Oder ist da noch jemand im Raum, den ich vielleicht bloß nicht bemerkt habe? Wenn ich bedenke, wie mein Tag bisher verlaufen ist, würde es mich nicht wundern, wenn es Letzteres wäre.

Er redet aber definitiv mit mir! Vor Erleichterung entspanne ich mich und fange dann fast an zu heulen. Ich nehme mich jedoch schnell wieder zusammen, stehe auf und bedanke mich. Da ich den kleinen Hocker zwischen uns nicht bemerkte, stolpere ich dummerweise und befinde mich auf direktem Weg nach unten. Urplötzlich spüre ich seine starken Arme, wie sie mich wieder mal auffangen - schon wieder! *Was ist nur los mit mir?*

Seine Hände auf meiner Taille zu spüren, fühlt sich so natürlich an, als ob wir füreinander gemacht wären und plötzlich lege ich sogar meinen Kopf kurz auf seine Brust, während ich meine Gedanken sammle. Kurz darauf kostet es mich all meine Willenskraft, seinen Kopf zu mir zu ziehen und einen Kuss zu initiieren. Ich spüre, wie ich vor Verlangen zittere und meine Brustwarzen sofort hart werden. Bilde ich mir das nur ein oder spüre ich auch seinen harten Schwanz an meinen Schenkeln?

Bevor ich mir dessen aber sicher sein kann, bewegt er sich etwas von mir weg. Wie ärgerlich, denn ich mag das Gefühl seines Körpers auf mir und will ihn unbedingt ermutigen, wieder näher zu kommen. *Doch jetzt ist nicht die Zeit, um solchen dummen Gelüsten nachzuhängen,* rede ich mir ein. Endlich habe ich ein Jobangebot für eine richtige Arbeit, so wie es sich anhört und damit, seit Shelton mich verlassen hatte, etwas neue Hoffnung.

Da ich meinem hoffentlich neuen Arbeitgeber gegenüber ehrlich sein will, sprudeln die folgenden Worte nur so aus mir heraus. Nervös erwarte ich bereits seine Entschuldigung, dass er mich doch nicht einstellen kann - aber stattdessen fragt er nach meinem Namen! Ich bin völlig fassungslos, dass er mich immer noch haben will!

Als er mir die Hand schüttelt, durchfährt mich ein weiterer Nervenkitzel. Egal, was für einen Job er für mich auf Lager hat, ich bin bereit, ihn zu machen, ohne mir in diesem Moment Sorgen über die Bezahlung zu machen. Er scheint hier kein Unbekannter zu sein, wenn man bedenkt, wie der Manager auf ihn reagiert hat, als er zur Tür hereinkam.

Das bedeutet wohl, dass ich keine Bittstellerin mehr sein muss. Freude und Erleichterung duchströmen augenblicklich meine Adern wie ein reißender Gebirgsfluss. Fast schon ist mir nach Freudengesängen zumute, aber ich widerstehe diesem Drang. *Noch hast du mich nicht kleingekriegt, Marcia, du kaltblütige Schlampe! Noch nicht!* Ich werde das überstehen, vielleicht sogar daran wachsen und das trotz deiner Machenschaften - dank meines verführerischen neuen Chefs.

Dann erwähnt er, dass wir einen Termin wahrnehmen müssten und so schnappe ich mir schnell meine Tasche und bin Sekunden später froh, dass ich dieses Mal ausnahmsweise nicht gestolpert bin.

Er will ernsthaft wissen, ob ich jetzt Zeit habe und anfangen könnte? Will er mich verarschen? Unglaublich.

Ich habe nichts mehr als Zeit und ich gehöre ihm so lange, wie er mich will, und das in mehrfacher Hinsicht.

Vor lauter Freude über diese Gelegenheit muss ich breit lächeln, denn es ist das erste Mal seit langem, dass etwas richtig gut für mich läuft.

KAPITEL 9

HOLDEN

Während Kara mir die Tür aufhält, kann ich nicht anders, als ihren Hintern zu begutachten, der einfach zu verführerisch in ihrer Hose sitzt.

Ich stelle mir dabei unweigerlich vor, wie sich ihr Körper auf meiner Haut anfühlen würde. *Sex mit dieser Frau ist sicher der totale Wahnsinn und unvergesslich,* denke ich mir. Meine Reaktion auf Kara verblüfft mich irgendwie. Es fühlt sich gut an, endlich ihren Namen zu wissen. Und Gott weiß, dieser Name passt echt gut zu ihr.

Während wir Seite an Seite durch die Lobby gehen, bemerke ich die Blicke der anderen Männer und sogar einiger Frauen. Kara hat etwas unheimlich Erfrischendes an sich, und ich glaube, das liegt zum Teil auch daran, dass sie sich nicht mal bewusst ist, wie sexy sie eigentlich ist. Sie fühlt sich sichtlich wohl in ihrer eigenen Haut und das ist eine Eigenschaft, die wir Männer unwiderstehlich finden.

Niemand will eine Frau, die ständig an sich selbst

zweifelt und nach Bestätigung sucht. Zumindest ich nicht, und den Blicken der anderen Typen nach zu urteilen, wollen sie das auch nicht. Doch Kara gehört ganz mir, denke ich, während ich sie schützend durch die Drehtür führe, beinahe so, als wollte ich meinen Anspruch klarstellen. Mir ist jede Ausrede willkommen, um sie zu berühren.

Irgendwie passend, dass der bevorstehende Termin, zu dem wir gerade aufbrechen, der mit einem Makler ist. Ist das etwa schon ein Vorgeschmack auf das, was noch kommen wird? Ich hoffe es, ganz ehrlich! Ich weiß, ich bin vielleicht etwas voreilig, aber ich kann mir nicht helfen. Zumindest von meiner Seite aus sprühen die Funken bereits.

Ich habe einen recht einmaligen Einrichtungsstil, der sich in meinen verschiedenen Häusern auf der ganzen Welt widerspiegelt und dieser unterstreicht vor allem meine besondere Affinität zu Antiquitäten und klassischen Mahagonimöbeln.

Auf meine Häuser verteilt ist auch eine Kunstsammlung, die sich vor denen der besten Museen nicht verstecken muss. Ich bin etwa stolzer Besitzer mehrerer Werke von Monet, Van Gogh und Pissarro. Oft leihe ich einen Teil meiner Sammlung an namhafte Museen auf der ganzen Welt aus, denn Kunst sollte meiner Meinung nach für jeden zugänglich sein.

Ich bin aber auch gespannt, welchen Stil Kara hat, wenn es um ihre Wohneinrichtung geht. Dabei stelle ich mir vor, wie sie und ich zusammen in einem neuen Haus leben, das frei von altem Ballast auf beiden Seiten ist - ein Ort, an dem wir neue Erinnerungen schaffen können.

Offenbar denke ich wie ein Schuljunge, der zum ersten Mal verknallt ist, aber diese Frau übt eben jene Wirkung auf mich aus.

Und das ist nun auch der Grund für meine impulsive Entscheidung. Mir ist klar geworden, dass Arelis Springs mein neues Zuhause sein muss, und ich will unbedingt, dass Kara ein Teil meines Lebens wird. Ich kenne jetzt auch den Grund für ihre Tränen - es ist ihr Ex-Ehemann. Einer, der sie offenbar sehr schlecht behandelt hatte. Sie war bis eben noch verzweifelt auf der Suche nach einem Job und ich bin froh, dass ich ihr einen geben kann.

Brauche ich wirklich eine persönliche Assistentin? Nein, Unsinn. Ich kann einen Immobiliendeal selbst abwickeln, das habe ich weiß Gott oft genug getan, aber das hier ist anders. Der Gedanke, eine Frau in meinem neuen Zuhause zu haben, macht mich neugierig.

Als ich ein paar Tage zuvor einen Makler kontaktiert hatte, kam mir die Idee allein noch total surreal vor. Innerhalb des nächsten Tages wurden mir ein paar Immobilien vorgeschlagen, die seiner Meinung nach meinen Bedürfnissen entsprechen könnten.

Drei hatte ich aus dem einen oder anderen Grund ausgeschlossen, als ich die Bilder sah, aber die anderen vier sahen so einladend aus, dass ich sie zumindest besichtigen wollte. Ursprünglich wollte ich sie natürlich alleine besuchen, aber jetzt, mit Kara an meiner Seite, hat meine Vorfreude darauf eine völlig neue Dimension bekommen.

Also nehme ich die Immobilienunterlagen aus meiner Aktentasche und reiche sie Kara hinüber, die gerade abwesend aus dem Fenster zu blicken scheint. Ihre

Gedanken zu unterbrechen, missfällt mir irgendwie, denn sie sieht so friedlich aus, dass ich sie stundenlang einfach nur ansehen möchte, aber ich bin trotzdem gespannt, was sie denkt. Ich frage mich, ob wir wohl ähnliche Vorlieben haben?

Was ist es bloß, das ich an dieser Frau so berauschend finde? Ist es wirklich möglich, sich auf den ersten Blick zu verlieben?

KAPITEL 10

KARA

Holden ist ein wahrer Gentleman! Als wir die Treppe hinuntergingen, hielt er mich die ganze Zeit über am Arm. Naja, er ist wahrscheinlich davon überzeugt, dass ich eine ziemlich tolpatschige Frau bin und wahrscheinlich gleich wieder hingefallen wäre. Noch bevor der Chauffeur kurz darauf die Tür öffnen konnte, wurde sie mir jedoch bereits von Holden aufgehalten. Wer hat eigentlich behauptet, dass alte Sitten ausgestrben wären?

Als ich in die tiefen, weichen Ledersitze sinke, die mich sanft umschließen, kann ich mich sofort entspannen. Das liegt nicht daran, dass ich nicht an Luxus gewöhnt bin, schließlich ist auch Shelton ein erfolgreicher Geschäftsmann gewesen und wir reisten in teuren Autos, wie es sich für jemanden seines Standes gehört.

Nein, was mich wirklich entspannt hat, war die Tatsache, dass ich jetzt einen Job gefunden habe und dazu kommt noch das Gefühl, dass Holden anders ist als alle anderen Männer, die ich bisher getroffen habe. Ich vertraue ihm instinktiv, was für mich eine Seltenheit ist.

So viele Fragen schießen mir plötzlich auf einmal durch den Kopf. *Warum fühle ich so für jemanden, den ich erst vor wenigen Stunden kennengelernt habe? Warum fühle ich mich körperlich so sehr zu diesem Mann hingezogen? Warum sind meine Fantasien voller Lust und vielleicht sogar Liebe für diesen Mann? Bin ich einfach nur gierig nach Sex? Ist das eine Art halbherziger Versuch, mich weiterhin vom anderen Geschlecht begehrt zu fühlen?*

Shelton war der einzige Mann, den ich je geliebt habe. Sehr sogar - bis er mich betrogen hat. Plötzlich wird mir schlagartig klar, dass meine Gefühle für ihn zur Vergangenheit gehören und nicht länger Teil der Gegenwart sind. Bis gestern hatte ich noch an der Vorstellung festgehalten, wieder mit ihm zusammenzukommen und mein Leben wieder normal zu gestalten, oder so normal, wie es nach einer Affäre nur sein könnte.

Jetzt aber bin ich im Hier und Jetzt angekommen und denke bloß noch an einen anderen Mann, so als wäre meine Ehe schon vor Jahren zu Ende gegangen. Ich versuche aber, Holden nicht zu oft anzuschauen, weil ich das Gefühl bkommen, dass meine Augen mich verraten könnten. Sicherlich muss er mein körperliches Verlangen nach ihm bemerkt haben, aber er ist zu sehr ein Gentleman, um es zuzugeben. Also rücke ich fürs Erste noch näher ans Fenster und schaue hinaus, als ob das mein Verlangen verringern könnte.

Seine Stimme reißt mich dabei schlagartig aus meiner Träumerei und ich drehe mich leicht zu ihm um. Er drückt mir ein Bündel Papiere in die Hand und will wissen, was ich davon halte. Ich liebe die Wohnungssuche und generell alles, was mit Immobilien und Einrichtung zu tun hat. Ich war auch sehr stolz darauf, das alte Haus selbst eingerichtet zu haben und obwohl wir in den Jahren unserer Ehe nie umgezogen sind, hat es mir Spaß gemacht, alles von Zeit zu Zeit zu verschönern. Diese Wohndesign-Shows haben mich besonders interessiert, also bin ich nun auch neugierig, wie diese Häuser wohl aussehen werden.

Schon beim Blick auf das erste Haus wird mir ganz anders, Villa würde es wohl eher beschreiben. Der geforderte Preis liegt im zweistelligen Millionenbereich! Das Anwesen hat eine getäfelte Bibliothek und eine Luton-Beleuchtung, was auch immer das sein mag, sowie einige andere ausgefallene Annehmlichkeiten, die mich in Erstaunen versetzen.

Holden muss sehr vermögend sein, unglaublich reich sogar, wenn er sich für Häuser in dieser Preisklasse interessiert. Beim Durchblättern der anderen Angebote stelle ich fest, dass die Preise mehr oder weniger ähnlich sind wie beim ersten Angebot.

Ein gewisser Wohlstand war aufgrund seiner offensichtlich maßgeschneiderten Kleidung klar, aber ich hätte erwartet, dass jemand mit großem Reichtum in einem auffälligen Fahrzeug herumchauffiert wird und nicht in einer Mercedes-Limousine wie dieser. Ich hätte auch eher eine hochnäsige Einstellung erwartet, etwas, das mir an ihm nun wirklich nicht aufgefallen ist.

Beim nochmaligen Durchblättern fällt mir ein Haus besonders auf und urplötzlich stelle ich mir vor, dass ich auf diesem etwas kleineren Grundstück heimisch werden könnte (im Vergleich zu dem anderen „kleiner", aber immer noch ziemlich groß). Ohne im Detail zu sehen, was die anderen drei zu bieten haben, weiß ich plötzlich eines: *das hier ist es!*

Nimm dich zusammen, Kara. Dieses Haus ist für deinen Chef, nicht für dich! Hör auf, dich von deiner unmöglichen Fantasie leiten zu lassen. Da ich ihn mit meiner Vorliebe nicht beeinflussen will, murmle ich einfach etwas darüber, dass sie alle interessant aussehen würden. Im Vergleich zu Holden wirkt Shelton nun plötzlich wie ein Bettler.

KAPITEL 11

HOLDEN

Karas Augen werden groß, als sie den Preis für das Haus sieht, das habe ich durchaus bemerkt. Nun, generell mag ich das Gefühl, wenn mich jemand einfach als Mann und nicht als reicher Mann sieht. Kara verweilt bei meinem Lieblingshaus dieser vier. Das ist in der Tat ein gutes Zeichen. Hoffen wir, dass es real unseren Erwartungen gerecht werden kann.

Ein paar Minuten später kommen wir an der Adresse an, die uns der Makler gegeben hatte. Das erste Haus, das wir besichtigen, ist das teuerste der vier und es sieht genauso majestätisch aus wie im Prospekt.

Es hat eine lange Auffahrt, um zum Hauseingang zu gelangen, aber das ist eher etwas, das mich bei einem Haus sofort abschreckt. Das hat so etwas Elitäres an sich, als würde man eine unsichtbare Barriere errichten, um sich von anderen abzugrenzen. Tatsächlich befindet sich dieses Haus auch in einem sehr abgelegenen und exklusiven Teil der Stadt. Das ist nicht gerade mein Ding, auch wenn ich das, was es sonst noch so zu bieten hat, zu schätzen weiß.

Kara wandert mit mir durch die riesige Lobby und wirft mir dabei so oft wie möglich heimliche Blicke zu, ohne dabei jedoch zu sehr aufzufallen. Sie stellt nur selten Fragen und zieht es vor, sich einfach nur umzuschauen. Dieser Makler, der sie anscheinend beeindrucken will und sie fälschlicherweise für meine Frau hält (ein Irrtum, den ich nicht korrigieren wollte und mit dem Kara anscheinend auch einverstanden war), weist sie immer wieder auf Dinge hin, von denen er glaubt, dass sie sie interessant finden würde. Zu meiner Belustigung reagiert sie überhaupt nicht, was auch den Makler verblüfft. Schließlich kapiert er die Message und hält den Mund.

Ich weiß jetzt schon, dass ich Karas Liebelingshaus auserwählen werde, in der Hoffnung, dass wir darin mal zusammenleben werden. Ich glaube, diese Frau bedeutet mein Schicksal. Bei dieser Erkenntnis allein wird mir aber ganz schwindelig. Alles in allem brauchen wir über eine Stunde, um das Haus zu besichtigen und ich bin ganz schön erschöpft, als wir endlich damit fertig sind. Das hier fühlt sich eher wie ein Mausoleum als ein Haus an und ich kann mir nicht vorstellen, dass irgendjemand dieses Haus als sein Zuhause betrachten könnte, es ist eher ein Schaufenster, eine vulgäre Zurschaustellung von schnödem Reichtum.

Das nächste Haus wirkt da schon ganz anders und ich glaube, es ist eines, das wir beide mögen. Als der Chauffeur vor dem Haus vorfährt, leuchten Karas Augen regelrecht auf! Sobald das Auto anhält, stürzt sie heraus, ganz ohne darauf zu warten, dass jemand die Tür öffnet. Kara läuft zügig zur Eingangstür, während der Makler nur mit Mühe hinter ihr herläuft und versucht, Schritt zu halten. Karas Begeisterung ist einfach ansteckend!

Dieses Haus ist im Tudorstil gebaut und versprüht auf den ersten Blick einen gewissen Märchencharme. Von außen sieht es beinahe klein aus, aber wenn man erst einmal drinnen ist, hinter den hohen Mahagonitüren mit dem Messingklopfer in Form eines Spechts, wird einem erstmal klar, wie geräumig es tatsächlich ist. Der traditionelle Charme ist mir nicht entgangen. Ich mag dieses Haus jetzt sogar noch mehr als vorher.

Das Wohnzimmer ist groß, aber trotzdem überraschend gemütlich. Das Highlight ist aber zweifellos der große Kamin, der dich an langen Winterabenden aufwärmen kann. Die umfangreiche und filigrane Holztäfelung der Decke in einer satten dunklen Eichenfarbe zieht sich durch das ganze Haus. Jeder Raum wurde perfekt ausgenutzt, mit Ecken, die perfekt konzipiert sind, um durch die darin verborgenen Fenster die hervorragende Aussicht zu bewundern.

Zu meiner Freude stelle ich fest, dass meine Patek Philippe Magpie's Uhr, für die ich schon lange einen Platz suche, sich perfekt in diesen Raum einfügen würde - als Herzstück des Kamins!

Die mit Diamanten und Rubinen besetzte Uhr zeigt eine Elster, die ihr Junges in einem Nest füttert, das mit einer Vielzahl von Blumen in Blau, Grün, Lila, Weiß und Gelb geschmückt ist.

Doch zurück zum Haus. Auch die Küche ist geräumig und besticht durch eine Mischung aus dunklen Fliesen, hellem Holz und noch helleren Marmorplatten. Der professionelle Sechs-Flammen-Herd würde jeden Starkoch begeistern und auch Kara sieht absolut hingerissen aus.

Auf der Rückseite des Wohnzimmers befindet sich eine große Terrasse mit Schiebetüren, die den Raum noch größer machen, wenn man sie öffnet. Die Aussicht ist atemberaubend, und der Architekt hat dafür gesorgt, dass die Landschaft mit vielen Fenstern und Türen perfekt in Szene gesetzt wird.

Kara ist ganz klar von diesem Haus total begeistert, genau wie ich! Sie löchert den Makler mit Fragen, und zwar mit den richtigen Fragen, z. B. nach dem Baujahr, den durchgeführten Renovierungsarbeiten und sogar den Stützmauern.

Auch das Hauptschlafzimmer ist in jeder Hinsicht perfekt ausgestaltet, von den Hartholzböden mit Fußbodenheizung bis zu den Schiebetüren, die zu einer weiteren privaten Terrasse führen, zu einem weiteren Kamin und auch zu einer weiteren Leseecke, die den Raum vervollständigt. Es ist einfach unglaublich!

„Das hier", meint Kara plötzlich ganz einfach und sachlich.

„Ich stimme dir zu". Natürlich tue ich das! Wie könnte ich ihrem betörenden Gesichtsausdruck auch widerstehen? Genau in dieser Sekunde trifft mich die blanke Wahrheit wie ein Donnerschlag. Ich bin nicht nur scharf auf Kara, ich bin ohne jeden Zweifel in sie verliebt - mit allem, was dazu gehört.

KAPITEL 12

KARA

Dieses Haus ist spektakulär und sogar noch besser, als ich es mir vorgestellt hatte. Es bietet eine kleine halbrunde Auffahrt, die mit Blumenbeeten geschmückt ist, welche mit gelben, lila und grünen Blüten erstrahlen. Warm, einladend und, wie soll ich sagen, stattlich?

Was mir am meisten gefällt, ist, dass ich mir vorstellen kann, dass auch Holden sich in diesem Haus sehr gut einlebt. Trotz des rustikalen Charmes wird alles durch feminine Akzente gemildert, wie zum Beispiel die leichten, fließend erscheinenden Vorhänge und die pastellfarbenen Akzente an den Wänden. Das ganze Haus duftet geradezu berauschend nach erblühenden Blumen, die hier omnipräsent scheinen.

Je mehr ich mich im Haus umsehe, desto wohler fühle ich mich. Alles ist einfach perfekt durchdacht, auch die arrangierten Möbel. Ich kann hier wirklich gar nichts bemängeln.

Für einen Moment wird mir klar, dass ich im Prinzip doch arbeitslos bin. Hier gibt es buchstäblich nichts zu tun. *Wozu braucht er mich eigentlich?* Inzwischen bin ich mir ziemlich sicher, dass ich nur aus Mitleid eingestellt worden bin, aber all das wird überstrahlt von diesen blöden, mädchenhaften Fantasien, wie ich durch das Haus schlendere, das Abendessen für Holden koche und es ihm ins Büro bringe.

Ich stelle mir sogar vor, wie ich mich zu ihm auf das übergroße Sofa kuschle, einen Film schaue oder einfach nur über unseren Tag plaudere. Ich kann nicht widerstehen, ihm zu gestehen, wie perfekt alles für uns wäre, also... für ihn, meine ich, und Gott sei Dank sage ich das auch.

Doch auch das bereue ich kurz darauf etwas. Immerhin ist das erst das zweite Haus und es gibt noch zwei weitere zu bewundern. Zu meiner Erleichterung stimmt er mir zu. Ich war so aufgeregt und in meine Träume vertieft, dass ich nicht mal auf seine Meinung geachtet habe, aber zum Glück war seine Reaktion auch positiv. Mit umherschweifenden Blicken höre ich, wie Holden zum Makler geht, um ein paar genauere Fragen zu stellen. Er erkundigt sich nach den Möbeln und ob sie zum Haus gehören und der Makler versichert ihm, dass für den Preis alles arrangiert werden kann. Schließlich fangen sie an, über Zahlen zu reden, unterdessen gehe ich auf die Terrasse, weil ich mich besser nicht in das Gespräch einmischen will.

Die Rocky Mountains in der Ferne, durch die vermutlich... der Rio Grande fließt, sehen von diesem Aussichtspunkt aus einfach nur beeindruckend aus. Naja, Geografie ist beileibe nicht meine Stärke. Was ich weiß, ist, dass die Aussicht perfekt ist!

Die Luft ist klar und frisch und ich genieße die golden erstrahlenden Blätter der Bäume vor dem Hintergrund eines leuchtend blauen Himmels. Der Herbst ist hier eine wunderbare Zeit, was einem ständig ins Bewusstsein gerufen wird, da man unaufhörlich von der bezaubernden Schönheit der Natur umgeben ist.

Diese Fantasie, also... Holdens Frau zu werden, muss aufhören! Ein reicher Mann wie er hat bestimmt irgendwo eine Freundin oder gar Ehefrau oder das ein oder andere Spielzeug noch dazu, wahrscheinlich überall auf der Welt. Nur weil er keinen Ring trägt, heißt das ja nicht, dass er nicht vergeben ist. Es würde mich nicht wundern, wenn er ein Mädchen hier in Arelis Springs hätte, vielleicht eines vom College? Ich bin sicher, dass ich die Altersgrenze für ihn längst überschritten haben muss. So ein Mann braucht doch ein Vorzeigeobjekt an seinem Arm.

Abgesehen davon, dass ich mich zusammenreißen muss, weil ich nicht weiß, wie lange dieser Job andauern wird, muss ich auch eine Wohnung finden, und zwar schnell, denn mein erster Gehaltsscheck kommt wahrscheinlich erst in ein paar Wochen. Marcia hat mir ünrigens bereits zu verstehen gegeben, dass sie meine Sachen „spenden“ wird, wenn ich sie nicht aus „ihrem“ Haus abholen lasse.

Wie kann das dieselbe Person sein, die ich schon vor meiner Teenagerzeit kannte? Dieselbe Frau, die ich durch unzählige Liebesaffären und durch Herzschmerz hindurch getröstet habe, wenn sie mal wieder von einem Kerl zum nächsten zog? Ich konnte ja nicht ahnen, dass der ultimative Preis für sie mal mein Ehemann sein würde. Es muss doch Warnzeichen gegeben haben, die ich wahrscheinlich als Blödsinn abgetan hatte? Nun, mir fällt auch im Nachhinein nichts ein, so gut hat sie das damals wohl gespielt.

„Du hast mir auf jeden Fall gutes Geld eingespart, Teuerste“, bemerkt Holden plötzlich, als er auf die Terrasse kommt und sich mit einem breiten Grinsen im Gesicht direkt neben mich stellt.

KAPITEL 13

HOLDEN

Mein Lieblingsteil bei jedem Geschäft ist das Verhandeln! Aber wenn ich Karas Freude im Gesicht sehe, vergeht mir irgendwie die Lust, den Preis herunterzuhandeln. Ich will dieses Haus einfach haben und bin sogar bereit, den geforderten Preis für dieses Haus zu zahlen, wenn es sein muss.

Und so frage ich den Makler halbherzig, ob es noch Verhandlungsspielraum gäbe, und er teilt mir mit, dass es eine Menge Interessenten für das Haus gibt. Es ist erst seit Kurzem auf dem Markt und wir sind erst das zweite Paar, das es besichtigt, für die nächsten Tage sind zudem weitere Besichtigungstermine angedacht.

In meiner Welt und bei der Art von Geschäften, die ich mache, erkenne ich Bullshit schon aus einer Meile Entfernung und genau deshalb weiß ich, dass dieser Typ nicht lügt. Also mache ich ihm folgenden Vorschlag: ich stimme dem Angebotspreis zu, sofern sie das Haus so belassen, wie es ist, denn eine vorsichtige Schätzung des Werts der

Einrichtung verrät mir, dass ich dennoch ein echtes Schnäppchen mache.

Er entschuldigt sich kurz, um zu telefonieren, während ich Kara, die mit einem verträumten Gesichtsausdruck auf der Terrasse verweilt, weiter beobachte. Wenn ich ein Künstler wäre, würde ich zweifellos bemerken, dass diese malerische Umgebung zu ihr passt.

Das brennende Verlangen, Kara von hinten zu packen, sie nach vorn zu beugen und es ihr tief und fest in ihr feuchtes Paradies zu besorgen überkommt mich nun plötzlich und mein bestes Stück wird augenblicklich eisenhart.

Doch dann werde ich von der Rückkehr des Immobilienmaklers aus meinen Gedanken gerissen - sein Nachricht ist positiv. Die Immobilie gehört mir zum Listenpreis, inklusive aller Möbel!

„Die Eigentümer wollen es schnell verkaufen", verrät er mir. Anscheinend hatten sie vor, hier zu wohnen, aber wegen eines Jobwechsels müssen sie bald nach Japan umziehen.

Das kommt mir sehr gelegen, denn auch ich will zügig umziehen. Deshalb verbringe ich die nächsten zwei Minuten damit, meine Assistentin anzurufen, um sie über meinen neuesten Kauf zu informieren und ihr mitzuteilen, dass der Makler sie in ein paar Minuten anrufen wird, um ihr weitere Details durchzugeben.

Da Lucy schon seit sieben Jahren für mich arbeitet, ist sie an meine Arbeitsweise gewöhnt und meint nur, sie werde auf den Anruf warten. Eine Frau der Tat, die nur wenige Worte benötigt, was mir besonders jetzt umso mehr entgegenkommt.

Ich kann es kaum erwarten, Kara die Neuigkeit zu überbringen und eile schnell zu ihr auf die Terrasse. Sie wirkt verblüfft und sogar ein bisschen ratlos, als ich sie über den Deal informiere. Doch dann entspannt sich der Blick in Karas Augen und sie bricht in das lauteste, tiefste Lachen überhaupt aus - so süß klingt Musik in meinen Ohren! Ich gestehe ihr auch, dass sie mir in Wirklichkeit eine Menge Geld gespart hat.

„Wie das?", fragt sie erstaunt.

„Weil dieses Haus viel billiger ist als die anderen beiden, die noch zu besichtigen wären. Das ist für mich also eine Ersparnis". Es fühlt sich fantastisch an, sie nach all dem Leid, das sie durchgemacht hat, lachen zu sehen. Ihr Gesicht erstrahlt wie die Sonne und die kleinen Fältchen um ihre Augen machen diesen Anblick noch süßer. Nun möchte ich nur noch eines - meine Hände über ihre weiche Haut gleiten lassen.

Plötzlich will Kara wissen, ob ich immer noch vorhabe, die anderen beiden Häuser zu sehen. Nur wenn sie es will, lasse ich es sie wissen. Damit ist sie ganz zufrieden und hat kein Interesse daran, sich die anderen anzuschauen. Nun möchte sie nur noch wissen, ob wir uns ein letztes Mal im Haus umsehen können, dieses Mal aber Seite an Seite und natürlich sage ich mit klopfendem Herzen ‚Ja'.

Beim zweiten Mal gefällt es uns beiden mindestens genauso gut, wenn nicht sogar noch besser. Irgendwann bemerkt Kara eine süße kleine Ecke, die sie bei ihrem ersten Rundgang wohl noch übersehen hatte, unweit der Küche.

Dort erstrahlt ein dekoratives Buntglasfenster aus

handgeschliffenem Glas und Mosaiken in bunten Blau-, Grau- und Rottönen, die das einfallende Licht durchscheinen lassen - ein faszinierender Anblick, beinahe, wie in einer majestätischen Kathedrale.

In ihrer Aufregung ergreift sie meine Hand, aber ich bleibe cool, zumindest hoffe ich das, während mein Herz weiter wie verrückt schlägt. Mit einem Mal fängt sich Karas Aufregung wieder ein bisschen. Wie schade.

KAPITEL 14

KARA

Wir sind inzwischen wieder zurück im Hotel und ich kann immer noch nicht glauben, was mir in den letzten Stunden alles passiert ist. So lebt also die High-Society? Das ist eine ganz neue Welt für mich, in der ich mich fühle, als wäre ich mitten in einer Seifenoper. Jeden Moment könnten die Kameras hervortreten und der Regisseur wird ‚Schnitt' schreien und ich... werde wieder in meinen schrecklichen Albtraum zurückkatapultiert.

Dieser turbulente Vormittag endete damit, dass Holden ein Haus kaufte, an dessen Auswahl *ich* beteiligt war. Ich frage mich gerade, ob er mir wohl erlauben würde, dauerhaft seine Assistentin zu bleiben. Ich würde glatt meine Augen für diesen Job geben!

Das Geld, das er hat, ist nur ein zusätzlicher Bonus, nicht der eigentliche Kern der Sache. Ich würde ihn trotzdem lieben, selbst wenn er ein Bettler wäre. *Wow*! Habe ich gerade von Liebe gesprochen? Einen Moment lang fühle ich mich schuldig, denn wie kann ich überhaupt daran denken, einen anderen Mann zu lieben, wo ich doch gerade eine Ehe hinter mir habe? Arelis Springs verwandelt mein Gehirn anscheinend in nichts als Brei.

Also ziehe ich mein Handy aus der Handtasche und schaue mir die Kleinanzeigen an, um nach Wohnangeboten zu suchen. Das ist nun erstmal meine oberste Priorität und das muss sie auch sein, denn ich kann es mir nicht leisten, noch länger im Hotel zu bleiben.

Ich muss mich ab sofort um die Nebenkosten, die öffentlichen Verkehrsmittel und all die anderen kostenintensiven Pflichten kümmern, die das Leben als alleinstehende Frau so mit sich bringt. Eine Frau, die nur auf sich selbst angewiesen ist und nicht von unanständigen Träumen mit ihrem Chef besessen sein darf, einem Mann nämlich, der nicht ansatzweise in meiner Liga spielt.

Drei Besichtigungstermine morgen sind letztlich der Lohn für meine Mühe, zwei Ein-Zimmer-Wohnungen und ein Studio-Apartment kann ich am Folgeabend ansehen. Ich will mir den Tag freihalten, denn Holden könnte mich ja bei der Arbeit brauchen. Es könnte auch passieren, dass ich diese Termine absagen muss, falls ich zur Arbeit gerufen werde. Ich kann es mir im Moment nicht leisten, bei den Arbeitszeiten wählerisch zu sein. Sobald ich eine bessere Vorstellung von allem habe, wird mein Leben sicher auch ein bisschen besser organisiert sein. Aber ich denke, ich kann für's Erste mit Sicherheit sagen, dass mir bei der Arbeit für Holden sicher nicht langweilig werden wird.

Mein Magen knurrt vor Hunger, nachdem ich den ganzen Vormittag nur ein paar Schlucke Kaffee runtergekippt und den Rest dann über Holden verschüttet habe, was eine unglaubliche Kette von Ereignissen in Gang gesetzt hat.

Das Klingeln des Nachttischtelefons schreckt mich dabei auf. Niemand weiß doch eigentlich, dass ich hier bin, wer könnte also anrufen? Als ich nach dem dritten Klingeln abnehme, erfahre ich vom Hotelmanager, dass mein neuer Chef mich so schnell wie möglich in seiner Suite sehen will.

Es werden keine weiteren Details genannt und da ich davon ausgehe, dass es um mein Gehalt und die hoffentlich tollen Kranken- und Rentenversicherungen geht, nehme ich alles recht gelassen. Also frage ihn nach der Suite und warte einen Moment. Der Mann meint, es wäre die Präsidentensuite und jemand würde sich gleich melden, um mir einen Fahrstuhlcode zu geben. In 30 Minuten müsste ich da sein.

Obwohl ich ja weiß, dass es nur darum geht, mit meinem Chef über das Geschäftliche zu sprechen, dusche ich schnell noch einmal, meine dritte Dusche heute, wahrscheinlich ein neuer Rekord! Es gibt also einen speziellen Aufzug, nur um in seine Suite zu gelangen. Wow! Und so dusche ich besonders gründlich und nehme mir sogar die Zeit, ein paar verirrte Härchen aus meiner Bikinizone zu rasieren und muss dabei über mich selbst lachen. Was genau könnte er meinem Intimbereich wohl mitteilen, frage ich mich?

Dann ziehe ich einen meiner Lieblingspullis an. Ich habe eine Vorliebe für diese V-Ausschnitte, weil sie uns vollbusigen Frauen irgendwie schmeicheln. Dieser hier ist ein grauer Pullover, der meine beiden Mädels besonders gut zur Geltung bringt.

Dazu ziehe ich einen knielangen Rock mit einem langen Schlitz auf der linken Seite an, der genau die richtige Menge Haut zeigt. Seriös und nicht zu offensichtlich wirkt dieser Look! Meine noch leicht feuchten Haare trage ich hochgesteckt und ein leichter Hauch von pflaumenfarbenem Lippenstift, plus ein großzügiger Sprühstoß Parfüm runden die Sache ab - es kann losgehen!

Während ich die Tür öffne, klopft gerade ein junger Mann dagegen und ich frage mich, ob der arme Kerl wohl schon eine Weile da stand. Er reicht mir den Zugang zum Privatfahrstuhl und will wissen, ob ich Hilfe bei der Bedienung brauche. Ich versichere ihm, dass ich es selbst hinkriegen werde, er nickt mir kurz zu und dann verschwindet er wieder im Flur.

Mit einem letzten tiefen Atemzug betrete ich den Aufzug, führe die Karte über das Kartenlesegerät und drücke dann den Knopf. Nun ist es an der Zeit, zu erkennen, was dieser Job wirklich einbringt.

KAPITEL 15

HOLDEN

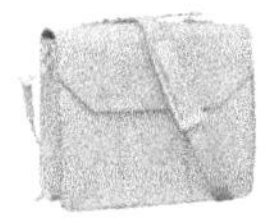

Heute war ein ausgesprochen erfolgreicher Tag und ich fühle mich wirklich wohl mit meiner neuesten Anschaffung. Was mich aber am meisten überrascht, ist, dass es sich im Gegensatz zu meinen anderen Immobilienkäufen nach *mehr* anfühlt.

Meine bisherigen Häuser habe ich immer mit Blick auf den Wiederverkaufswert und mit Fokus auf den Preis gekauft. Dieses hier aber ist etwas ganz Persönliches, und das nicht nur, weil es das Gütesiegel von Kara trägt. Von dem Moment an, als ich das Angebot sah, war mein Herz, nicht nur mein Kopf, von diesem Haus besessen.

Die anderen drei kamen gar nicht erst in Frage, obwohl ich durchaus etwas neugierig auf sie war. Um ehrlich zu sein, wollte ich sie aber nur sehen, weil ich dann mehr Zeit mit Kara hätte verbringen können - wie egoistisch von mir!

Als ich nach einer angenehmen Fahrt zum Hotel zurückkam, unterhielt ich mich mit Kara noch darüber, was ihr an dem Haus am besten gefallen hatte und welche kleinen Verbesserungen sie noch auf Lager hätte. Ich nickte meistens zustimmend, aber eigentlich war ich bloß froh, ihrer hypnotisierenden Stimme zuhören zu können. Sie hätte genau so gut über Nägeldesign reden können und hätte immer noch all meine gespannte Aufmerksamkeit genossen.

Dann teilte ich ihr mit, dass der Rest des Tages ihr zur freien Verfügung stünde und sie schien dafür ziemlich dankbar zu sein. Wieder in meiner Suite angekommen, dämmerte mir, dass wir weder über ihr Gehalt noch über das, was der Job sonst so mit sich bringt, gesprochen haben.

Da der Job aber eh nur eine kleine List meinerseits ist, gibt es für sie nur sehr wenig zu tun. Die meiste Arbeit wird von Lucy erledigt, also muss ich mir wohl ein paar Kleinigkeiten für sie einfallen lassen, damit alles echt aussieht.

Letztlich bitte ich Mason darum, meine Nachricht an Kara weiterzuleiten, deren Nachnamen ich immer noch nicht kenne. Er ruft kurz zurück, um mir mitzuteilen, dass Kara in 30 Minuten hier sein wird.

Schnell nutze die Gelegenheit und ordere ein Mittagessen für zwei Personen, wobei ich ihm die Entscheidung überlasse, was zubereitet werden soll. Da ich weiß, dass er ein fähiger Mitarbeiter ist, mache ich mir keine Sorgen. Hoffentlich hat Kara noch nicht gegessen! Allein bei dem Gedanken, ganz allein mit ihr zu sein, steigt mein Puls sprunghaft an.

Sollte ich leise Musik ertönen lassen? Schnell suche ich ein paar Sender im Radio heraus und entscheide mich schließlich für einen Oldiesender. Obwohl... Nein, das könnte sie als zu aufdringlich empfinden, also verwerfe ich diesen Plan wieder.

Der Fernseher ist eine weitaus klügere Wahl und so schalte ich einen Finanznachrichtensender ein. Während im Hintergrund die Börsenticker vorbeiziehen, muss ich mir diese Quatschköpfe aber nicht anhören. Bis jetzt sieht es nach einem guten Tag für mich aus, denn ich sehe, dass einige meiner Aktien im Aufwärtstrend sind, aber irgendwie lässt mich das heute kalt. Meine Gedanken kreisen um etwas ganz anderes...

Meine Lust auf Kara ist in der Zeit, die wir zusammen verbracht haben, nur noch mehr gewachsen. Das Bedürfnis, ihren sündigen Körper im wahrsten Sinne des Wortes in Besitz zu nehmen und ihre Seele zu erobern, überfällt mich zunehmend. Ich will unbedingt etwas über ihre Vergangenheit erfahren und auch herausfinden, wie sie in diese traurige Lage geraten ist. Vor allem aber möchte ich sie vor weiterem Leid bewahren.

Gleichzeitig will ich Kara aber auch nicht vergraulen. Wenn sie gerade eine schlechte Ehe hinter sich hat, ist eine neue Beziehung so Hals über Kopf vielleicht das Letzte, was sie braucht? Ich habe aber gewiss keine Lust auf eine Lückenfüller-Affäre. Ich will Kara an meiner Seite haben, auch, wenn sie über alles hinweg ist!

Wenn Max mich so reden hören würde, würde er bestimmt annehmen, dass ich einen Schlag gegen den Kopf kassiert oder dass die frische Luft in Colorado meine Sinne vernebelt hätte.

Max liebt seine Freiheit und hinterlässt überall, wo er hingeht, ein gebrochenes Herz. Ein weiterer reicher

Mann also, der sich weigert, sich zu binden, aber er ist in dieser Hinsicht sogar noch unnachgiebiger als ich. Kara hat mich nun aber dazu gebracht, all das zu hinterfragen. Sie hat mich im wahrsten Sinne des Wortes dazu gebracht, eine 180 Grad-Wende zu vollführen und jetzt will ich mich nur noch niederlassen, ihr und *nur ihr* gehören.

Das unnachgiebige Klopfen an der Tür holt mich plötzlich aus meinem tranceartigen Zustand, *ist das etwa schon Kara?* Tatsächlich aber ist es bloß der Butler mit unserem Mittagessen. Nachdem er alles auf den Esstisch gestellt hat, geht er mit einem sehr großzügigen Trinkgeld.

Schon kurz darauf klopft es leise an die Tür. Dieses Mal bin ich mir sicher, dass es Kara sein muss. Ich öffne also die Tür und bitte Kara anbetungsvoll hinein, als wäre sie eine Prinzessin. Und sie belohnt mich mit einem Lächeln, das mein Herz zum Schmelzen bringt, und ich habe bereits jetzt große Mühe, mich zu beherrschen...

KAPITEL 16

KARA

Schwer beeindruckt steige ich aus dem Aufzug und betrete eine Welt voller Pracht. Meine Absätze sinken tief in den luxuriösen roten Teppichboden ein, der den gesamten Flur bedeckt. Elegante Details wie Mahagonischränke mit prächtigen Vasen, die mit frisch geschnittenen Colorado-Seerosenblüten gefüllt sind, bilden eine gerdezu traumhafte Kulisse für all die Opulenz hier.

Nachdem ich das Glück hatte, schon einmal in einem Luxushotel zu übernachten und ein bereits ein wenig abgestumpft war, weiß ich jetzt, dass es da draußen noch ein viel höheres Niveau gibt. Auf unseren Geschäftsreisen mit Shelton haben wir immer in noblen Hotels übernachtet, aber das hier übertrifft jeden dieser Orte bei Weitem, wenn ich mich so zurückerinnere. Man würde nie vermuten, dass sich hinter diesen Mauern eine solche Opulenz verbirgt, wenn man das Hotel von außen betrachtet, was aber ein ohnehin schon beeindruckender Anblick ist.

Ich atme tief ein, während ich mich vorwärts bewege. Meine Nerven liegen blank und ich fühle mich wie ein Schulmädchen bei einem ersten Date, auch wenn das hier alles andere als das ist. Als ich an der Tür ankomme, nachdem ich einen letzten Blick in einen wunderschönen ovalen Spiegel mit Goldverzierung in der Nähe der Tür geworfen habe, klopfe ich leise an und Holden öffnet sofort. Er verneigt sich und bittet mich mit einer dezent übertrieben wirkenden Armbewegung herein, die mir zwar ein Lächeln ins Gesicht zaubert, mich aber nur ein klein wenig zu entspannen vermag.

„Ich hoffe, du hast Appetit mitgebracht", sagt er, während er mich in das große Wohnzimmer führt, welches das luxuriöse Design des Flurs nahtlos fortsetzt. Der Raum ist einfach gigantisch und ich bin unendlich neugierig darauf, alles zu sehen und zu erkunden. Meine Neugierde kennt wirklich keine Grenzen, denke ich übermütig. Selbst die königliche Familie würde sich hier wie zu Hause fühlen.

„Ich bin total ausgehungert, um ehrlich zu sein", antworte ich, während mir der Duft aus dem nahegelegenen Essbereich in die Nase steigt.

„Gut. Lass uns zunächst essen und dann führe ich dich herum. Ich kann die Neugierde in deinem Gesicht sehen", fügt er lachend hinzu. Mein Körper entspannt sich nun noch ein wenig mehr.

„So offensichtlich ist das? Irgendetwas riecht hier wirklich gut", stelle ich fest, während ich mich auf den Weg zum Essen mache, ganz ohne auf seine Bitte zu warten.

„Ich hoffe, es schmeckt dir. Ich war mir nicht sicher,

was du bevorzugst. Wir haben also Nudeln, Steak und Kartoffeln sowie Salat, wenn du das bevorzugst."

„Steak ist genau richtig. Ich stehe auf Fleisch und Kartoffeln" bemerke ich und öffne dabei einen der Deckel der silbernen Platten. Im nächsten Augenblick werde ich mit dem Anblick dessen belohnt, was stattdessen wie perfekt gekochte Fettuccine mit Kirschtomaten und Hummer mit Champagnersauce aussieht.

Die Schale des Hummers sitzt obenauf, wie die Krönung des Ganzen. Was für eine herrliche Präsentation! Fast möchte man diese Perfektion nicht zerstören, aber was bleibt mir anderes übrig, denn ich sabbere praktisch schon. Dies ist eines meiner Lieblingsgerichte und ich will es unbedingt verschlingen!

Schnell schnappe ich mir die Zange und mache uns zwei großzügige Teller zurecht, wobei ich seinen mit der riesigen Hummerschale bestücke. Ich will vor ihm nicht wie eine gierige Steinzeitfrau aussehen. Oder tue ich das bereits?

Danach greife ich zu meiner Gabel und allein am Gewicht erkenne ich schon, dass es sich um echtes Silberbesteck handelt, aber was sollte man an einem solch palastartigen Ort auch anderes erwarten? Den Champagner, der neben dem Tisch kühlt, bemerke ich nur deshalb, weil ich plötzlich das diskrete Geräusch des Öffnens der Flasche vernehme, gefolgt von einem Zischen. Holden gießt mir stilvoll etwas ein und reicht mir das Glas hinüber.

Die Bläschen platzen, zischen und verklingen dann zu einem lieblichen Flüstern, das kurz darauf meine Nase kitzelt. Wir stoßen also auf sein neues Haus an, unsere

Gläser klirren leise in der Stille des Raumes. Nachdem ich dem Champagner etwas Zeit zugestanden habe, sein Aroma zu entfalten, nehme ich einen ersten Schluck. Dieser sinnliche, blumige Geschmack ist einfach köstlich und ich genieße das Aroma in vollen Zügen. Noch ein kleiner Schluck und dann mache ich mich an die anderen Köstlichkeiten...

KAPITEL 17

HOLDEN

Kara gleitet majestetisch in den Raum hinein, aber ihre Absätze verschwinden in dem hochflorigen Teppich, was sie etwas kleiner erscheinen lässt. Sie sieht definitiv verdammt sexy aus, und ich bete, dass ich einen kühlen Kopf bewahren kann. Ich bin froh zu hören, dass sie noch nichts gegessen hat und so folge ihr in den Essbereich und versichere ihr, dass sie nach dem Essen noch eine Führung durch meine Gemächer bekommen wird. Doch erstmal stoßen wir mit Champagner an, um gebührend zu feiern.

Unentwegt blicke ich zu ihr hinüber und suche nach Hinweisen darauf, was ich als Nächstes tun soll. Diese Frau hat mich so aus dem Konzept gebracht, dass ich einfach nicht mehr normal funktionieren kann. Das Einzige, was ich jedoch auf keinen Fall tun darf, ist, ihr Angst zu machen oder sie glauben zu lassen, dass mein Jobangebot an irgendeine Bedingung geknüpft wäre. Etwa, dass sie mit dem Chef schlafen müsse...

Kurz darauf hat sie ihr Glas abgestellt, serviert uns beiden eine ordentliche Portion Pasta und genießt in vollen Zügen. Mir gefällt, dass Kara eine gute Esserin ist. Sie benutzt auch gekonnt ihren Löffel, um die Nudeln aufzuwickeln und verschlingt dann alles mit einem großen Bissen und vollen Wangen.

In mir reift die verruchte Fantasie davon, wie sie meine Nudel auf die gleiche Weise verschlingt. Dass ich bei dem Gedanken ein bisschen rot werde, hat sie vielleicht bemerkt, denn sie sieht mich fragend an, aber ich sage nichts.

Wir reden nur wenig, während wir beide das Essen genießen. Es gibt für mich nichts Faszinierenderes als eine Frau, die gerne isst. Ich mag nämlich keine Frauen, die ständig bloß auf ihre Figur achten und mit der Salatgabel herumfuchteln.

Kara genießt jede einzelne Spaghetti und für einen Moment frage ich mich, ob sie auch das Steak isst, aber sie tut es nicht, obwohl sie dem Leckerbissen einen reumütigen Blick nachwirft.

„Wahrscheinlich hätten wir das Steak zuerst essen sollen. Die Nudeln hätten wir wieder aufwärmen können.“ sagt sie fast schon bedauernd.

Das Steak ist das, woran ich am wenigsten denke... Nun stehe ich auf und greife nach Karas Hand.

„Ich zeige dir jetzt den Rest der Suite.“ *Bilde ich mir das nur ein oder lässt sie mich ihre Hand ein bisschen länger als nötig halten, bevor sie sie loslässt?*

Angefangen mit dem Gästezimmer und dem Arbeitszimmer, das mit einem Computer, einem Fernseher und einer voll ausgestatteten Bar ausgestattet ist, stöhnt Kara immer wieder beeindruckt auf. Und doch, im Vergleich zu der ersten Villa, die wir am Vortag gesehen hatten, wirkt diese Suite fast normal. Neben der voll ausgestatteten Küche gibt es hier aber auch ein Badezimmer und eine Speisekammer - alles, damit man sich wie zu Hause fühlt!

Der letzte Raum ist das Hauptschlafzimmer mit eigenem Bad. Der Blick vom Balkon erregt Karas Aufmerksamkeit aber am meisten, ich kann den Blick auf Arelis Springs von oben aber ganz genauso genießen wie sie! Das Rathaus, das nur wenige Meter vom Hotel entfernt liegt, glänzt weiß und erhaben im Licht.

Diese Stadt hat wirklich etwas Charmantes an sich, und ich bin froh, dass ich mich entschieden habe, sie zu besuchen, und das vor dem Hoteldeal. Wir beide sind quasi Neulinge in dieser Stadt, und doch fühlen wir uns beide mit ihr verbunden. Wir entdecken die verborgenen Reize der Stadt nach und nach und betrachten auch die Menschen dabei, die von unserem hohen Aussichtspunkt aus beinahe wie Nachbarn wirken.

Wir sehen sogar einen Cowboy, der im Vorbeigehen seinen Hut vor einer Dame zieht, dann eine Frau, die sich mit dem Sheriff unterhält und ein Kind, das die Hand seiner Mutter einfordert, als die Beiden einen Blumenladen betreten.

Das alles wirkt wie eine Szene aus einem bezaubernden Film. Sogar Max war von all dem hier ein wenig verzaubert. Nachdem er mir in den Ohren gelegen hatte, dass ich ins „Nirgendwo", wie er es nannte, ziehen sollte... Nun, auch er war dem Charme der Stadt bei seinem ersten Besuch erlegen. Obwohl er behauptet, dass er hier nie leben könnte, war er so beeindruckt, dass er sagte, er würde wiederkommen und uns besuchen.

Kara geht jetzt zum Bett hinüber, um die exquisite Bettwäsche aus ägyptischer Baumwolle mit all ihren 700 Fäden zu fühlen, auf der ich immer schlafe, egal wo auf der Welt. Mit ihren zierlichen Fingern führt sie genüsslich darüber, doch dann passiert das Beste, was mir je widerfahren ist: Sie richtet sich auf, kommt direkt zu mir und presst sich fest an mich - und an meine fast schon schmerzhaft harte Erektion. Mit heiserer Stimme sagt sie: „fick mich!" Ihr Verlangen ist unüberhörbar...

KAPITEL 18

KARA

Beim Essen war ich noch ruhig, weil meine Gedanken rasten. Jetzt aber bin ich kurz davor, etwas zu tun, wofür ich entweder gefeuert oder geliebt werde, aber schließlich überwiegt das Bedürfnis, herauszufinden, ob er mich begehrenswert findet oder nicht, alle meine Bedenken.

Es gibt zwei Möglichkeiten, wie ich mit dieser Begierde in mir umgehen kann: Entweder ich erfinde eine Ausrede und gehe zurück in mein Zimmer, oder ich mache meinen Zug. Es heißt buchstäblich jetzt oder nie! Ich entscheide mich zunächst für Ersteres, weil ich den Job dringend brauche, *bis* ich die verräterischen Umrisse seines riesigen Schwanzes bemerke...

Das zu sehen, gibt mir nicht nur einen Ego-Schub, sondern auch eine Menge Mut für alles Weitere. Am liebsten würde ich auf der Stelle zu ihm rennen und seinen Schwanz aus der Gefangenschaft befreien. Holden greift einmal mehr nach meiner Hand, um mir den Rest dieser tollen Räumlichkeiten zu zeigen. Dabei lasse ich meine Finger länger in seiner Hand verweilen, als geplant, aber ich kann nicht anders. Wird er den Wink mit dem Zaunpfahl kapieren? Vermutlich nicht, denn er führt mich weiter durch die Wohnung.

Halbherzig schlendere ich umher, um die schönen Dinge zu bewundern, von den alten Uhren über die prächtigen Kronleuchter bis hin zum Kamin. Auch die Speisekammer ist großzügig und das erstaunt mich. Es ist schwer zu glauben, dass dies ein Hotel und kein Haus ist, denn hier könnte man mühelos leben.

Obwohl alles so groß ist, wirkt Holden allein hier wie zuhause. Das Arbeitszimmer ist ebenfalls sehr beeindruckend mit seinen riesigen Fenstern und dem herrlichen Blick auf die darunterliegenden Gärten. Ich erspähe sogar den Platz, an dem ich heute Morgen bei meinem heftigen Streit mit Shelton saß. *Kann das denn wirklich erst ein paar Stunden her sein?*

Diese Suite ist so groß wie mein altes Zuhause, vielleicht sogar noch größer. Immer noch klein, wenn man bedenkt, was wir heute schon gesehen hatten, aber trotzdem beeindruckend. Jetzt ist nur noch ein ganz bestimmtes Zimmer übrig und ich glaube, ich bin bereit dafür...

Als er mir schließlich das Hauptschlafzimmer zeigt, bin ich fast außer mir vor Leidenschaft. Mein Verlangen danach, dass Holden jeden Teil von mir nimmt, ist mittlerweile gigantisch und anders als alles, was ich je mit Shelton empfunden habe. Ich weiß, dass mein Gesicht rot ist, und ich nehme mir einen Moment Zeit, um mich zu sammeln, indem ich erstmal die Bettwäsche bewundere...

Jetzt oder nie, sage ich mir noch einmal mit überzeugender Entschlossenheit. Gestärkt schleiche ich mich etwas zaghaft an ihn heran, drücke mich an ihn und spreche jene beiden Worte aus, die ich bisher nur zu einem anderen Mann gesagt habe, das letzte Mal ist aber schon verdammt lange her...

„Fick mich!"

KAPITEL 19

HOLDEN

Das ist Musik in meinen Ohren. Mein erster Instinkt befiehlt mir, Kara die Kleider vom Leib zu reißen, sie auf das Bett zu werfen und ihn in ihr feuchtes Loch gleiten zu lassen, bis ich den Verstand verliere. Ich widerstehe diesem Drang aber noch, weil wir beide diese Erfahrung gleichermaßen genießen müssen. Ich will Kara so befriedigen, dass sie immer wieder nach mir betteln wird...

Jetzt fahre ich mit meinen Fingern zärtlich über ihr errötetes Gesicht, bis ich schließlich auf ihren Lippen lande, diesen wunderschönen, sinnlichen Lippen, und stecke ihr einen Finger in den Mund, an dem sie sofort gierig saugt. Dann ziehe ich Karas Gesicht nah heran und küsse sie besitzergreifend und leidenschaftlich zugleich, als wäre die Zeit stehen geblieben.

Kara reagiert sofort und ich spüre ihre steifen Nippel sogar durch mein Hemd, so dass ich meinen Unterleib immer fester an sie presse, damit sie die Muskeln meiner geballten Männlichkeit durch ihren leicht hochgezogenen Rock hindurch spüren kann. Kara gibt verlockende Laute von sich und bettelt nun darum, mich spüren zu können.

„Noch nicht, meine Süße." Erstmal ziehe ich ihren Pulli hoch und löse ihren BH mit einer schnellen Bewegung, so dass ihre riesigen, weichen Brüste frei leigen, von denen ich eine sofort in beide Hände nehme. Ihre Brustwarzen sehen aus wie saftige dunkle Beeren. Kurzentschlossen hebe ich Kara hoch und sauge einen Nippel zwischen meinen Lippen hindurch, während ich den anderen mit meinen Fingern bearbeite, was ihr ein weiteres williges Stöhnen entlockt.

Wie ein Betrunkener stolpere ich nun zum Bett und lege Kara vorsichtig nieder, ganz wie das kostbare Juwel, das sie ist. Mein Mund verweilt immer noch an ihrer Brustwarze, die ich abwechselnd einsauge, daran lecke und knabbere, wie es mir gefällt.

Schließlich wird meine Aufmerksamkeit für einen Moment von den beiden Prachtexemplaren abgelenkt, so dass ich ihr aus dem Rock helfen kann.

Kara hat schwarze und cremefarbene Spitzenunterwäsche an, unter der ihr schwarzes Schamhaar hervorlugt.

Ich ziehe Karas Beine weit auseinander und blicke endlos lange auf sie hinunter, wobei ich mir vorher die Zeit nehme, die nackte Lust in Karas Gesicht zu genießen, und auch den Anblick davon, wie ihre definitiv natürlichen Brüste erzittern.

Ich küsse diesen Schmollmund erneut und das so tief, dass ich Champagner und Hummer schmecken kann. Langsam arbeite ich mich nach unten und küsse ihre Halsbeuge, ihre Schultern, ihren weichen Bauch und ihren süßen kleinen Bauchnabel. Durch die Spitze hindurch massiere ich ihre süße Pussy, erst fest, dann langsam und mit leichterer Berührung, während ich ihren köstlichen Duft genieße.

Mit zwei Fingern ziehe ich jetzt Karas Höschen zur Seite und versenke sie tief in ihr, bis sie perfekt geschmiert hineingleiten können. Kara krümmt ihren Rücken immer stärker und schließt sinnlich die Augen, während sie sich hingibt und genießt. Da ich nicht will, dass sie gleich kommt, spiele ich wieder mit ihren Titten, lecke meine Finger ab, schiebe sie ihr in den Mund und genieße den Anblick, wie sie wie einen Lolli bearbeitet.

Endlich ist sie von allen Kleidungsstücken befreit und liegt splitterfasernackt vor mir, so dass ich freie Sicht habe.

Karas Schamlippen glänzen verlockend und sind dank meiner Vorarbeit halb offen und geschwollen. Sie öffnet ihre Beine noch weiter, als ob sie sich zu meinem offensichtlichen Vergnügen noch mehr entblößen wollte. Mit einem animalischen Knurren spalte ich ihre geschwollenen Schamlippen noch mehr und umkreise ihre Klitoris mit meiner Zunge. Karas Stöhnen spornt mich nur noch mehr an, während meine Finger trotzdem nicht locker lassen, was sie fast zum Wahnsinn treibt.

Kara schlingt ihre Beine jetzt so irre fest um meinen Kopf, ihre Hände drücken ihn mit aller Kraft nach unten und sie verliert sich dabei so sehr, während sie mich mit weiteren schmutzigen Worten antreibt. Schließlich kommt sie laut schreiend, während sie den Kopf schüttelt, den Rücken vom Bett wölbt und ihre Finger noch immer um meinen Kopf schlingt, als würde sie ihn ewig in dieser

Position haben wollen. Bis... Karas Beine schließlich schlaff werden und ihr Körper nachgibt wird.

Diese warme Süße in meinem Mund zu schmecken, erfüllt mich mit Gefühlen wie nie zuvor und auch mit Stolz. Ich bin endlich bereit, Kara hart zu ficken, und so wie es sich anfühlt, ist sie mehr als willig, denn sie fummelt schon an meiner Hose herum.

Ihr Staunen über die Größe meines Schwanzes, die dicke und geschwollene Eichel, zaubert ein verdorbenes Lächeln auf mein Gesicht. Sie nimmt ihn in beide Hände und massiert auf und ab, während sie wieder einmal *darum* bettelt... „Ich werd‘ noch verrückt, wenn du mich nicht gleich durchfickst“, sagt sie eindringlich.

Diesmal lehne ich nicht ab, hebe Karas Beine hoch und schlinge sie um meine Taille, wobei ich sogar spüren kann, wie sich ihre Fersen in meine Pobacken hineinbohren. Ich greife meinen Schwanz, spreize ihre geschwollenen Schamlippen so weit wie möglich und ramme ihn hinein, bis er sie ganz tief ausfüllt. Ich bin im siebten Himmel, meine Hüften kreisen, tauchen in verschiedenen Rhythmen ein und dabei darf ich auch noch diese üppigen Brüste vor mir tanzen sehen.

Mein Daumen reibt auch jetzt ihren süßen Kitzler und Kara genießt das offenbar in vollen Zügen. Sie klammert sich an meinen Hintern und hält sich so fest, bis wir beide mit Stöhnen und Keuchen zum Höhepunkt unserer Lust kommen. Von Kara so verzaubert, könnte ich nicht glücklicher sein...

KAPITEL 20

KARA

Wie in einem tranceartigen Zustand scheint die Zeit still zu stehen, ich will nie wieder aus diesem wundervollen Traum aufwachen! Holdens Lippen auf meinem Mund fühlen sich himmlisch an! Während ich seinen Kuss mit all meiner Leidenschaft erwidere, fühlt sich mein Herz an wie die Flügel eines Schmetterlings.

Diese Geschmacksexplosion bringt alle bisher nagenden Stimmen in meinem Kopf zum Schweigen. Zerfließend wünsche ich mir nichts sehnlicher, als dass er mich endlich fickt und das tief und hart. Mir wird klar, dass ich das laut ausgesprochen habe, aber in diesem Moment ist mir das egal. Die pure, unverfälschte Lust kontrolliert mich jetzt unerbittlich und ich gebe ihr nur zu gern nach.

Holden reizt mich, spielt mit mir, quält mich mit seinen Fingern und seinem Mund, während er jeden Zentimeter meines Körpers erkundet. Während seine

Lippen meine steifen Rosenknospen umschließen, nachdem er meinen BH geöffnet hat, werde ich vor Glück fast ohnmächtig und spüre, wie ich total feucht werde.

Erleichtert spüre ich, wie er mich auf das Bett herunterlässt, und das hätte dank meiner nachgebenden Knie echt nicht später kommen können. Ich will ihn so sehr und möchte es am liebsten von den Dächern schreien!

Nie zuvor hat sich Intimität zwischen meinen Schenkeln so gut und richtig angefühlt. Meine Vorfreude auf das Kommende wächst, jetzt bin ich splitterfasernackt vor ihm ausgebreitet und bemerke, wie er seinen Blick über meinen Körper schweifen lässt. Dabei schäme ich mich kein bisschen. Es ist schon eine Weile her, dass meine weiblichen Reize so gewürdigt wurden, stelle ich erschrocken fest. Anstatt also zurückzuschrecken, spreize ich meine Beine ganz, damit er mich in voller Pracht sehen kann - und damit er diese irre Wirkung erkennen kann, die er auf mich ausübt.

Ein tiefes Stöhnen entweicht unwillkürlich meinen Lippen, während Holden seine Finger in meine nasse und willige Pussy gleiten lässt. Um ihn weiter anzuheizen, beuge ich mich nach vorne und strecke meine Brüste und Hüften vor. Er benutzt seinen Mund, seine Lippen, seine Zunge und sogar seine Nase, um meine Liebeshöhle und meine Nervenenden zu stimulieren.

Ich kann nicht anders, als meine Beine um seinen Kopf zu werfen und um Gnade zu flehen. Unerbittlich beherrscht er mich und treibt mich in lustvolle Höhen, die mir bis zu diesem Moment fremd waren. Meine Augen tränen, das ist das erste Mal in meinem Leben, dass ich so verschlungen werde und es fühlt sich fantastisch an!

Beim folgenden Höhepunkt krümmen sich meine Zehen und meine Hände umklammern seinen Kopf, so dass er fast erstickt, während ich meine Muschi noch fester an seinem Mund reibe, bis die süße Erlösung vollends aus mir herausströmt. Meine Lustmuskeln ziehen sich zusammen, bevor sie sich schließlich entspannen und der tödliche Griff um seinen Kopf nachlässt.

Mein Körper erschlafft schließlich, aber ich sehe Holdens zufriedenen Blick. Er braucht mich nicht zu fragen! Das Vergnügen steht mir ins Gesicht geschrieben, ganz zu schweigen von den Strömen meiner Lust und seinen feuchten Lippen als Beweis. Der Wunsch, auch ihm solche Freuden zu bereiten und ihn vor Lust verrückt zu machen, während ich seinen Schaft tief in mir habe, wird jetzt unerträglich.

Erfreut lässt er mich seine Hose herunterziehen und als ich seinen Penis zum ersten Mal sehe, bin ich fassungslos über seine Größe und diesen Umfang und kann es kaum erwarten, ihn ganz in mir zu haben... oder es zumindest zu versuchen. Der darauffolgende Fick ist so wild, dass ich ihn nicht so schnell vergessen werde, und zu meiner Überraschung komme ich erneut, ungefähr zur gleichen Zeit wie er. Holden brüllt dabei aus tiefstem Inneren heraus.

Erneut treffen sich unsere Lippen, doch diesmal umfasst seine Hand mein Gesicht, nachdem er von mir zur Seite gerollt ist. Ich kann mich immer noch förmlich in seinem Mund schmecken! Aneinander gekuschelt, beschützt und unendlich befriedigt schlafen wir beide ein.

KAPITEL 21

HOLDEN

Im durch die Vorhänge scheinenden Morgenlicht erwache ich schließlich sanft. Mein rechter Arm ist ein bisschen taub, weil ich lange Zeit in derselben Position gelegen habe. Egal, wie unangenehm das auch sein mag, ich will mich keinesfalls bewegen, um Karas Schlaf nicht zu stören, also decke ich für's Erste die obere Hälfte des Lakens auf, um solange Karas prächtige Oberweite zu bewundern.

Sofort bin ich wieder hingerissen. Kara sieht engelsgleich aus, wenn sie ihr Haar über dem Gesicht hat. Ihre Sanftheit, wenn sie sich in der Ruhe ihres Schlafes sonnt, ist unvergleichlich. Die geschwollenen Konturen ihrer Lippen und die Erinnerung daran, wie sie sie in der Nacht zuvor so gekonnt an meinem besten Stück eingesetzt hat, zaubern mir ein weiteres Lächeln ins Gesicht. Kara stand meinem Enthusiasmus und meiner lustvollen Begierde in nichts nach. Wir hatten eine endlos lange Nacht, in der wir uns gegenseitig erkundeten und jeden Tropfen voneinander aufsaugten.

Der vertraute Druck in meinen Eiern ist auf einmal wieder da und auch mein Freudenspender stößt bereits hellwach und ungeduldig unter der Decke gegen Karas heiße Schenkel. Ich mache keine Anstalten, mich sonst zu bewegen, aber anscheinend weckt mein widerspenstiges Glied Kara zuerst auf.

„Dir auch einen guten Morgen", haucht sie mit einem zuckersüßen Lächeln, während sie nach meinem Schwanz greift und ihn beherzt massiert, bevor sie ihr Bein hebt, um ihn an den Ort seiner Begierde zu führen.

„Ich kann mir nichts Besseres vorstellen, um aufzuwachen", versichere ich ihr, während ich meine Hüften in kreisenden Bewegungen bewege und dabei Karas Prachtarsch durchknete. Es dauert nicht lange, bis ich diese brachiale Lust nicht länger kontrollieren kann und meine Ladung tief in Kara hineinschieße.

Danach steht Kara ohne jegliche Scheu aus dem Bett auf und schreitet nackt in die Küche, um uns einen Kaffee zu machen. Dabei beobachte ich, wie ihr Arsch beim Laufen verführerisch wackelt.

Als sie die Tür erreicht, beugt sie sich mit weit gespreizten Beinen hinunter, um mir einen Blick auf ihre ganze Pracht zu gewähren: Brüste, Pussy und Arsch - was für ein Anblick. Karas Gesicht lugt keck zwischen ihren Beinen hervor, ein freches Lächeln ziert dabei ihre sündigen Lippen.

„Nur für den Fall, dass du vorübergehend vergisst, wie ich aussehe", sagt sie reumütig und schaut mich dabei vielsagend an.

„Danke, Ma'am. Das hat sich in mein Gedächtnis eingebrannt". Was zum Teufel macht diese Frau bloß mit mir? Ich habe doch nicht mehr das Durchhaltevermögen eines Teenagers.

Kurz darauf hat sie uns in der reichlich ausgestatteten Küche Kaffee gekocht und der qualmende Duft weht bis ins Schlafzimmer hinein. Rieche ich da etwa auch Speck? Plötzlich merke ich, dass mein Hunger gestillt werden muss, denn diese umwerfende Frau hat mich ganz schön fertig gemacht und zwingt mich nun quasi dazu, aufzustehen. ‚Wenn du sie nicht kleinkriegen kannst, dann eben hinterher', beschließe ich und gehe ebenfalls in die Küche, auch ich bin dabei nackt wie Gott mich schuf.

Dafür werde ich mit einem anerkennenden Blick belohnt, denn Karas Blick wandert schnell zu meiner Hüftregion. Schnell spanne ich mich an, um ihr zuliebe eine langsame 360-Grad-Drehung zu vollführen, und versuche, mir das Lachen zu verkneifen.

Kara klatscht begeistert und ruft dann: „Großartig. Ich gebe dir eine 10!"

Es war tatsächlich Speck, der in der Pfanne brutzelte und blubberte, auch Eier und sogar Toast fehlen nicht - Zutaten, von denen ich nicht mal wusste, dass es sie in dieser Küche gibt, denn Kochen ist nicht unbedingt mein bevorzugtes Hobby.

Ich hatte eigentlich vorgehabt, uns ein Frühstück zu bestellen, aber das hier ist sogar noch besser! Ich mag den Gedanken, etwas zu genießen, das Kara nur für mich zubereitet hat.

Seite an Seite genießen wir also ein tolles Frühstück und füllen unsere Reserven wieder auf. Ich schätze, eine

Nacht und ein Morgen voller Leidenschaft fordern eben ihren Tribut.

KAPITEL 22

KARA

Als ich von Holdens hochwillkommener Erektion geweckt werde, die sich bereits in mich bohrt und mir ein lustvolles Grinsen entlockt, habe ich nur einen Gedanken - *beeile dich, das nicht ungenutzt verstreichen zu lassen!* Zum ersten Mal, seit ich quasi obdachlos und ohne Ehemann auskomme, habe ich friedlich geschlafen, statt der unruhigen Schlafphasen, die mir in letzter Zeit nur allzu vertraut geworden sind.

Nach dem Marathon-Sex der letzten Nacht wollte ich trotz Müdigkeit und Erregung einfach nicht schlafen, weil ich diese Ekstase ewig andauern lassen wollte. Schließlich ergaben sich meine Augenlider aber der Erschöpfung und ich schlief selig ein.

Wir lieben uns ganz langsam und zärtlich, während das Licht durch die Fenster fällt. Unsere Körper sind wirklich im Einklang und wir verschmelzen miteinander. Als ich danach aufstehe, um uns einen Kaffee zu machen, necke ich Holden spielerisch, indem ich eine meiner

Yogastellungen präsentiere, Padahastasana, um genau zu sein, wobei ich meine Beine so weit wie möglich spreize... Sein Wohlgefallen ist offensichtlich. Und ich will ihm gefallen.

Es fühlt sich so befreiend an, für ihn völlig nackt zu sein. Bin ich nicht doch verlegen? Nicht im Geringsten! Holden gibt mir das Gefühl, für meine Kurven begehrt zu werden. Auch wenn ich nicht die straffen Muskeln einer Teenagerin habe, liebe ich meine üppige, dralle Figur. Sanft an den richtigen Stellen, und unnachgiebig wo es nötig ist. Zweimal wöchentlich Yoga und Tennis haben dazu beigetragen, mich in der richtigen Form zu halten, oder besser gesagt, mich in Form zu halten, *während ich verheiratet war.* In letzter Zeit aber hatte ich weder die Zeit noch das Geld, mich so zu verwöhnen.

Seit dem Ende meiner Ehe hatte ich kaum Zeit für irgendetwas anderes als für Tränen und Reue. Tränen über den Verrat und Bedauern darüber, dass ich nicht für schlechte Zeiten vorgesorgt hatte, als es noch gut lief. Holden gibt mir nun aber wieder das Gefühl, lebendig zu sein und hat in mir Gefühle geweckt, die ich beiseite geschoben und tief vergraben hatte, während ich mich mit der Routine meines Ehealltags abfand.

Shelton und mein altes Leben scheinen jetzt aber nur noch eine ferne Erinnerung zu sein. Hätte mir jemand gesagt, dass ich mich so schnell und so vollständig verlieben kann, hätte ich ihm ins Gesicht gelacht, dass es so etwas nur in Märchen und Urlaubsfilmen gibt, aber hier bin ich nun...

Neugierig wühle ich mich durch die Küche und bin wieder einmal erstaunt, wie gut die Speisekammer bestückt ist. Es gibt Brot, Müsli (zig Sorten), außerdem Reis, Nudeln und so ziemlich jedes Gewürz, das man irgendwie gebrauchen kann.

Speck und Eier im großen Kühlschrank führen schließlich dazu, dass ich beschließe, uns ein Frühstück zu machen. Ich bin eine wahre Meisterin der Küche und liebe es zu kochen. Das Knistern der Eier, das Aroma des Kaffees und der köstliche Geruch von Speck ziehen ihn kurz darauf magisch in die Küche, und zu meiner Freude ist er auch noch splitterfasernackt!

Und so schenke ich Holden ein anerkennendes Lächeln, als er seinen Körper zur Schau stellt. Sein zerzaustes dunkles Haar fällt ihm mitten ins Gesicht - ein ziemlicher Unterschied zu dem Look, wenn es trocken geföhnt im Geschäftsmodus liegt. Das jetzt verleiht ihm ein jugendlicheres Aussehen. Eine breite Brust, muskulöse Arme und gut definierte Bauchmuskeln vervollständigen das Gesamtpaket. Sein Hintern ist so fest, dass man eine Münze daran abprallen lassen könnte, ganz zu schweigen von der Wünschelrute, die in der Luft schwingt, als wäre sie bereit zum Wassersuchen...

„Erst das Frühstück", sage ich spöttisch und lecke mir über die Lippen, während ich auf seine Rute starre.

„Wie Ihr wünscht, Mylady. Ich könnte die Energiezufuhr gebrauchen". Holden kommt auf mich zu, als wolle er mich gierig packen, weicht dann aber meinem Körper aus und schnappt sich zu meiner Enttäuschung ein Stück gebuttertes Toastbrot vom Tisch. Wir genießen unser Frühstück und wo wir schon mal nackt sind, wenden wir uns direkt danach wieder anderen fleischlichen Genüssen zu.

KAPITEL 23

HOLDEN

Das geteilte Glück, das sich mir so lange entzogen hat, scheint mich endlich wieder eingeholt zu haben. Ich bin glücklicher als je zuvor! Wenn ich zurückblicke, frage ich mich, was wohl passiert wäre, wenn ich Kara nicht getroffen hätte. Es ist schon komisch, wie das Leben so spielt. Unter anderen Umständen hätte ich dieses Hotel wahrscheinlich sofort verkauft, ohne es auch nur zu besichtigen, aber irgendetwas hat mich zu diesem Ort hingezogen. Mit Sicherheit hätte ich nie die Liebe gefunden, ja gar die Liebe meines Lebens, wenn ich nicht in die Stadt gekommen wäre.

Dieses Hotel wird jetzt auf keinen Fall verkauft werden. Arelis Springs wird mein Zuhause werden! Ein Zuhause, das ich mit Kara teilen werde, vorausgesetzt, sie stimmt zu, mich zu heiraten. Seit ihrer Trennung ist noch nicht viel Zeit vergangen und vielleicht ist es nicht der ideale Zeitpunkt, aber ich kann mir nicht helfen, wenn ich daran denke, dass sie mich so sehr liebt wie ich sie.

Wir haben bisher sozusagen in dieser Präsidentensuite zusammengelebt und waren nur selten getrennt. Unser neues Haus wird in wenigen Tagen bezugsfertig sein, und zwar am selben Tag, an dem das Treuhandkonto geschlossen wird.

Kara hat sich einen Spaß daraus gemacht, die richtigen Accessoires zu kaufen, um das Haus zu vervollständigen. Überraschenderweise stimmen unsere Geschmäcker bei der Einrichtung überein, so dass ich mir keine Sorgen machen musste.

Meine einzige Bedingung war, einen bestimmten Platz im Büro freizuhalten, weil mir aufgefallen war, dass das gedämpfte Sonnenlicht, das auf die Wand trifft, meinen Lieblingsmonet perfekt beleuchten würde, aber ansonsten konnte sie tun und lassen, was sie wollte.

Als ich von einer Besprechung zurückkam und ihre Stimme hörte und dabei die Suite betrat, eilte ich sofort in Richtung Schlafzimmer - in der Hoffnung, vor meinem nächsten Videotelefonat noch einen Nachmittagsgenuss zu erleben. Doch schon kurz bevor ich die Tür öffne, lassen mich ihre Worte an ihren Ex zu Eis erstarren.

„Ich liebe dich, Shelton, ich liebe dich“, flüstert sie fast in den Hörer, als wolle sie sichergehen, dass man sie nicht hört. *Warum wohl?*

Ich taumle rückwärts, denn es fühlt sich an, als ob eine Kugel mein Herz durchbohrt hätte. Mein Kopf schmerzt plötzlich und zwingt mich dazu, meine Augen fest zu schließen. *Sie ist immer noch in ihren Mann verliebt!* Wie konnte ich nur so blind und vertrauensselig sein?

Ohne darauf zu warten, noch mehr zu hören, ist der Drang zu schreien, zu brüllen, etwas zu schlagen (am liebsten ihren Ex) nun in jeder Faser meines Seins. Er behandelt sie wie Dreck, *aber sie liebt ihn immer noch?* Das ist genau das, was ich anfangs befürchtet hatte: ich bin eine Affäre, ein Ablenkungsmanöver, eine Überbrückung, um ihren Mann eifersüchtig zu machen. Ich weiß zwar, dass sie nicht wegen des Geldes mit mir zusammen ist, aber das macht es nicht weniger schmerzhaft.

Vielleicht ist sie es aber doch und ich kenne sie nicht so gut, wie ich glaube? So viele Gedanken schießen mir durch den Kopf. Kara darf mich nicht so niedergeschlagen und gebrochen sehen! *Wie konnte ich mich nur so täuschen?* Ich schätze, geschäftlich klug zu sein, ist nicht gleichbedeutend mit klug in der Liebe zu sein.

In blinder Wut schnappe ich mir meine Aktentasche und rufe Mason an, um das Auto vorfahren zu lassen. Ohne meinen Mantel anzuziehen und ohne mir die Mühe zu machen, meine Sachen zu packen, verlasse ich das Gebäude und schließe die Tür hinter mir. Der Aufzug bringt mich nach unten, weg von diesem Verrat, und ich versuche erstmal, mich zu beruhigen. Ich beachte Mason kaum, als ich in der Lobby ankomme und gehe zur Tür hinaus, wo ich die Stufen förmlich hinunterfliege, denn mein Wunsch, so weit wie möglich von hier wegzukommen, treibt mich an.

Wütend tippe ich eine Nummer auf meinem Handy ein, während ich den Fahrer anweise, mich zu dem kleinen Flughafen zu fahren, wo mein Jet geparkt ist. Als ich den Piloten über meine baldige Ankunft informiere, damit er den Flug freigeben kann, da wir so schnell wie möglich nach New York fliegen, fühle ich mich immerhin schon etwas besser. In New York werde ich meine

Wunden lecken, denn ich will Arelis Springs nie wieder sehen!

Junge, die Tatsache, dass es hinter meinem Rücken passiert ist, trifft mich wirklich. Das ist definitiv das letzte Mal, dass ich auf den verschlagenen Charme einer Frau hereingefallen bin! Doch auch jetzt, auf dem Weg zu meiner privaten Gulfstream, bin ich noch immer sauer.

Sei's drum. Dieses Flugzeug mit Küche, Massageraum, Badezimmern, Jacuzzi und einer riesigen Suite, in der ich mich ausruhen kann, ist eines meiner liebsten Besitztümer, das mich normalerweise immer in beste Laune zu versetzen vermag.

Diesmal jedoch nicht. Ich bin zu schroff zu meinem Piloten und auch zur Flugbegleitung, bis ich mich in das handgefertigte Ledersofa sinken lasse. Mit einem Getränk in der Hand beobachte ich, wie sie sich davonschleicht, weil meine schlechte Laune wohl offensichtlich ist. Als ich angeschnallt bin, klopfe ich wütend auf den Touchscreen, bis ich einen geeigneten Actionfilm gefunden habe. Ich lasse die Rollläden herunter und versuche, mich darauf zu konzentrieren.

Alles, um mich von Kara abzulenken... Das klappt auch einigermaßen, denn es dauert nicht lange, bis ich dem Bösewicht die Daumen drücke. Der knapp vierstündige Flug ist schnell vorbeigegangen.

Mein Privatchauffeur holt mich schließlich direkt auf der Rollbahn ab und die Fahrt zurück vergeht blitzschnell. Nachdem ich eine lange heiße Dusche genommen und mir einen Highball-Drink eingelassen habe, stapfe ich mit schlechter Laune ins Bett.

Zum Glück lässt der Schlaf nicht lange auf sich

warten. Doch kurz zuvor wundere ich mich nochmals über meine Leichtgläubigkeit. Ich hatte mir echt eingeredet, dass wir etwas ganz Besonderes füreinander empfinden würden...

KAPITEL 24

KARA

Genervt beende ich mein ziemlich hitziges Telefonat mit Shelton, denn ich höre Holdens Schritte. Trotz der Wut, die ich in dieser Sekunde verspüre, kann ich mir ein Lächeln nicht verkneifen. Ich will dieses Gespräch so schnell wie möglich beenden, damit ich bei meinem Geliebten sein kann!

Wäre dieses Gespräch nur ein paar Wochen früher gewesen, wäre ich erleichtert, vielleicht sogar ekstatisch gewesen. Shelton hatte mich angerufen, um mich um Vergebung zu bitten. Seine Faszination für Marcia war zum Stillstand gekommen.

Offenbar gab Marcia nicht nur sein Geld hemmungslos aus, sondern hatte auch eine Affäre mit einem seiner wichtigsten Kunden, einem viel reicheren Mann als er, der sie in einer schicken Wohnung einquartiert hat. Nun war *er* allein. Das ging aber schnell!

„Die Leiter aufgestiegen. Das ist der richtige

Ausdruck“, bemerkte ich und war überhaupt nicht mehr überrascht, was es für Neuigkeiten über meine ehemalige Freundin zu hören gab.

„Ich liebe dich, Kara, das weiß ich jetzt. Du warst immer die Einzige für mich“, verkündete er nun, weinerlich, wie ich hinzufügen möchte.

„Ich liebe dich, Shelton. Ich liebe dich“ Ich halte kurz inne, bevor ich hinzufüge „Hast du wirklich gehofft, dass ich das erwidern würde, nach allem, was passiert ist, nach allem, was du mir angetan hast?!“ Meine Stimme ist nun fast ein Flüstern, denn ich bin erschöpft, weil ich so lange mit ihm gesprochen habe. Am Anfang war ich sogar nett und versuchte sogar, ihn zu trösten.

Das weicht nun der Frustration, weil er nicht einmal zugeben will, wie schrecklich er mich behandelt hat. Es geht nur um ihn und darum, wie er vor seinen Freunden und anderen in der Stadt dasteht und dass er dank Marcia höchstwahrscheinlich einen großen Kunden verlieren wird. Daran hat er natürlich überhaupt keine Schuld. Als ob es nicht zwei bräuchte, um einen Tango zu tanzen!

„Komm zurück und alles wird wieder normal. Deine persönlichen Sachen sind zum Glück auch noch da. Alles wird wieder so sein, wie es war.“ *Ist er wirklich so wahnhaft?*

Ich habe endlich genug! Das hier geht mich alles nichts mehr an. Trotz der wenigen Wochen seit den Ereignissen bin ich jetzt nicht mehr das weinende Elend, zu dem *er* mich gemacht hatte. Ich werde nicht zu ihm zurücklaufen und ich will auf keinen Fall wieder so leben, wie wir einmal getan haben.

„Es tut mir leid, was dir passiert ist, Shelton, aber ich habe kein Interesse daran, zu dir zurückzukommen.“

„Was willst du mir damit sagen, Kara? Nach allem, was wir durchgemacht haben?“, fragt er erstaunt.

„Besonders nach allem, was *ich* durchgemacht habe, meinst du?“ Ich kann nicht glauben, dass er denkt, dass ich so nachsichtig sein könnte. „Ich muss los, Shelton. Viel Glück mit deinem Leben.“ Damit lege ich den Hörer auf, genau wie er es vor Wochen bei mir getan hat, und es fühlt sich an, als wäre mir damit soeben eine zentnerschwere Last von den Schultern genommen worden.

Ich habe fast schon Mitleid mit ihm. Beinahe. Ich schätze, wir sind beide Opfer von Marcias Machenschaften geworden. Ich hoffe, dass sie am Ende auch ihren Anteil bekommt, aber im Moment fühle ich weder das eine noch das andere.

Ich bin nicht mehr wütend auf sie und auch nicht mehr auf ihn. Ich denke an all die wunderbaren Tage mit meiner neuen Liebe, von der ich hoffe, dass sie für immer an meiner Seite sein wird.

Ich atme tief durch, gehe ins Wohnzimmer und rufe seinen Namen - keine Antwort. Ich hätte schwören können, dass ich ihn gehört habe?! Ich schaue überall nach, aber es gibt keine Spur von ihm. Ich habe keine Ahnung, wo er hingegangen sein könnte. Ich kann mich nicht daran erinnern, dass er gesagt hat, er hätte noch weitere Termine, abgesehen von seinem Videoanruf etwas später, aber ich mache mir besser keine Sorgen. Er ist schließlich ein erwachsener Mann, oder?

Ich beschließe, mir ein paar Skizzen der Pläne anzusehen, die ich für den Garten angefertigt hatte. Nichts Großes, hauptsächlich Pflanzen und Sträucher, die im Klima von Colorado halt so wachsen, darunter Mountain

Mahogany, Sagebrush und Bronze Fenchel, eines meiner Lieblingskochgewürze!

Die sonnigen Stellen im Garten wären perfekt für die Douglasie mit ihren langen Tannenzapfen, die genau den richtigen Farbtouch setzen würden.

Meine Gedanken drehen sich aber tatsächlich eher um Holden und ich bin langsam besorgt. Besonders, da es schon fast Nacht ist und es immer noch kein Zeichen von ihm gibt. Jetzt fange ich an, mir Sorgen zu machen. *Das sieht ihm gar nicht ähnlich...*

Ich versuche, ihn auf seinem Handy zu erreichen, aber der Anruf geht direkt auf seine Mailbox. Also bitte ich ihn, mich zurückzurufen. *Das ist so untypisch...* Ich mache mir ja nur ungern übertriebene Sorgen, aber ich kann nicht widerstehen, den Manager anzurufen und zu fragen, ob er Holden gesehen hat.

Der aber sagt mir, dass Holden vor einigen Stunden mit seinem Auto zum Flughafen gefahren ist, soweit er gehört hat. *Ich bin fassungslos!* Warum hätte er mir nichts sagen sollen, vor allem, wenn es ein Notfall war?

Da ich nicht weiß, an wen ich mich sonst wenden soll, rufe ich seine Assistentin Lucy in New York an: Wenn jemand etwas weiß, dann sie! Ich habe schon ein paar Mal mit ihr gesprochen und sie war immer hilfsbereit, nur dieses Mal nicht, als sie mir mitteilt, dass sie mir nicht sagen kann, wo er sich aufhält.

Ich flehe sie inzwischen an und die Tränen kullern mir dabei ungehindert über mein Gesicht, bis sie sich schließlich erbarmt und mir bestätigt, dass Holden tatsächlich wieder in New York ist, aber dass er mich weder sehen noch von mir hören will.

Ich bin völlig verwirrt und frage mich, ob Shelton irgendwie von uns erfahren hat und ihm Lügen erzählt hat, wie zum Beispiel seine wahnhaften Gedanken, dass wir wieder zusammenkommen würden. Wie auch immer, ich muss ihn finden und die Dinge wieder in Ordnung bringen!

Nachdem ich aufgelegt habe, durchstöbere ich einige seiner Papiere in den Schubladen seines Schreibtischs, bis ich die Papiere für den Kauf des neuen Hauses finde. Ohne weiter darüber nachzudenken, schaue ich nach, welche Flüge nach New York gehen, und zum Glück kann ich ein Last-Minute-Ticket ergattern, das mir gerade genug Zeit lässt, um ein Taxi zu nehmen und den Flug zu erreichen.

Mehr als acht Stunden später und ziemlich spät in der Nacht stehe ich nun hier und drücke auf die Klingel an seinem Haus. *Ich muss herausfinden, was passiert ist!*

Wenn er mit mir Schluss macht, muss er mir ins Gesicht sehen und nicht feige weglaufen, ohne eine Erklärung abzugeben. Es kommt jedoch keine Antwort. Meine Finger bleiben dennoch hartnäckig auf dem Summer, bis ... mich jemand hereinlässt. Ohne ein Wort zu sagen...

KAPITEL 25

HOLDEN

Wer zum Teufel klingelt denn da?! Ich bin nicht in der Stimmung, jemanden zu unterhalten und schon gar nicht so spät in der Nacht. Ich kann nur vermuten, dass man sich im Haus geirrt habt oder dass es irgendein dummes Kind ist, das Streiche spielt.

Zuerst habe ich es ignoriert und gehofft, man würde sich verpissen, wer auch immer das sein mag, aber das hat nichts gebracht, denn diese Person ist verflucht hartnäckig. Als ich schließlich aufstehe und zur Sprechanlage gehe, bin ich kurz vorm Ausrasten!

Die Überraschung, eine müde, aber extrem entschlossen aussehende Kara an der Tür zu sehen, hält mich aber zurück. *Was zum Geier macht sie hier? Wie hat sie mich gefunden?* Auch wenn ich sie nicht sehen will, lasse ich sie schließlich rein. Da ich genau weiß, wie stur sie sein kann, wird sie höchstwahrscheinlich die ganze Nacht und notfalls auch den nächsten Tag da draußen stehen bleiben.

Als ich ihre Schritte vernehmen kann, öffne ich die Tür und ziehe mich sofort wieder in den Raum hinter mir zurück. Sie kommt kurz herein und schlägt die Tür hinter sich zu, laut und mit so viel Kraft, wie sie aufbringen kann.

„Wie kannst du es wagen?", schreit sie mit schriller Stimme. Um sicherzugehen, wiederholt sie es noch einmal, diesmal mit noch viel lauterer Stimme.

Frustriert drehe ich mich um und schaue sie genau an. Ich bin kurz irritiert, als ich sehe, wie sich ihre vollen Brüste auf und ab bewegen, während sie bloß darum kämpft, ihre Wut zu zügeln. *Gott, sie sieht verdammt sexy aus...*

„Was machst du hier? Willst du es mir noch mehr unter die Nase reiben?" brülle ich ihr entgegen, unfähig, meine Wut zu zügeln.

Kara blinzelt und schaut überrascht drein: „Was unter die Nase reiben?"

Was für ein Spielchen treibt sie da? Sie denkt doch nicht wirklich, dass ich so leichtgläubig bin, oder?

„Ich habe gehört, wie du mit deinem Ex gesprochen hast." sage ich langsam. „Ich habe auch gehört, wie du gesagt hast, dass du ihn liebst", verrate ich verbittert, jedes Wort ist wie ein Stich ins Herz.

„Waaas?!" Gerade will sie weiterreden, doch dann stutzt sie und... bricht in Gelächter aus. Ich schaue sie ganz erstaunt an. Diese Frau ist wirklich verrückt! Für mich ist das alles jedenfalls kein Grund zum Lachen.

„Oh Holden. Mein armer Schatz", sagt sie, während sie sich auf mich zubewegt und nicht mehr lacht. „Du hast mich mit Shelton reden hören?"

Ich bin mir immer noch nicht sicher, was sie jetzt vorhat...

„Offensichtlich hast du den Rest des Gesprächs nicht mitbekommen. Ich habe nur wiederholt, was er gesagt hat, nicht wie ich mich gefühlt habe. Ich würde nie zu ihm zurückkehren. Du hast die Pause verpasst, die darauf folgte..." Dann erzählt sie mir, was zwischen den beiden vorgefallen war, und streichelt mir mit der Hand über das Gesicht.

Oh mein Gott! Was für ein Idiot ich doch war. Meine Dummheit hatte mir den Verstand geraubt und geblendet von Wut und Eifersucht hatte ich nicht logisch nachgedacht. Ich hatte ihr auch keine Chance gegeben, sich zu erklären, was mich noch schlimmer fühlen lässt.

Kara fährt fort: „Mein Leben hat sich für immer verändert, als ich dir buchstäblich in die Arme lief. Seitdem liebe ich einen Mann, nur einen Mann, und der steht jetzt vor mir." Kara sieht mich direkt an, während sie diesen Satz beendet und ihre Augen sind voller Liebe, ihre Lippen leicht geöffnet und ihre Brüste sind nun fest an mich gepresst.

Zärtlich nehme ich Kara in meine Arme und küsse sie unendlich tief, während ich endlich den vertrauten Geschmack von ihr spüren kann. Ich fühle mich immer noch schrecklich wegen meines dummen Verhaltens, das mir eigentlich völlig fremd ist. Ich kann auch nicht glauben, dass dieses verrückte Mädel Colorado kurzerhand verlassen hat, nur um mich jenseits der Staatsgrenzen zu treffen. Das macht nur eine ganz besondere Frau!

Kara erwidert mit fieberhafter Leidenschaft meinen Kuss und hält mich dabei unendlich fest - sie liebt mich genauso sehr wie ich sie liebe! Schnell hebe ich sie hoch, greife ihren geilen Hintern fest und trage sie ins Schlafzimmer, um ihr zu zeigen, wie sehr ich meine Tat bereue.

Während wir danach nackt im Dunkeln liegen, fragt sie mich, wie reich ich wirklich bin. Als sie es herausfindet, lacht sie und ruft: „Ich brauche eine Gehaltserhöhung, hörst du! Ich brauche eine Gehaltserhöhung!"

„Über dein Gehalt reden wir später", beschließe ich, ihre Worte wörtlich zu nehmen und besorge es ihr gleich noch einmal.

EPILOG

DREI MONATE SPÄTER

Kara

Heute heirate ich die Liebe meines Lebens! Gerade sitze ich in unserem Schlafzimmer und verpasse meinem schlichten Make-up den letzten Schliff. Mein Hochzeitskleid wartet bereits neben mir auf dem Bett.

Ich spüre ein Gefühl der Ruhe und Zufriedenheit in mir, ein deutlicher Unterschied zu meiner ersten Hochzeit vor so vielen Jahren. Damals war alles so chaotisch gewesen. Meine Mutter hatte die ganze Sache in die Hand genommen, sehr zu meinem Erstaunen. Ich hatte das Gefühl, nur dabei zu sein. Ich wollte nicht den gleichen Zirkus für diese Hochzeit noch einmal durchmachen müssen.

Das hier soll eine kleine, intime Angelegenheit werden. Unsere Gästeliste ist recht überschaubar und besteht nur aus Max und seiner neuesten Flamme des

Monats, wie Holden die verschiedenen Models und Debütantinnen nennt, die er in schöner Regelmäßigkeit durchschleust. Max ist inzwischen wie ein frecher jüngerer Bruder, obwohl er vier Jahre älter ist als ich, und hat mich mit seinem unwiderstehlichen Charme für sich gewonnen.

Mit dabei ist auch Lulu, unsere neue Nachbarin, gleichzeitig neue Freundin und Besitzerin des gleichnamigen Restaurants in der Innenstadt von Arelis Springs. Mason und seine Frau runden die Gästeliste ab. Ich habe eine Vorliebe für ihn, denn in meinen Augen ist er zumindest teilweise für unsere Romanze verantwortlich. Er hatte sich auch sehr über die Einladung gefreut.

Holden und ich stehen uns näher als je zuvor, und wir haben uns versprochen, seit unserem großen Missverständnis keine Geheimnisse mehr voreinander zu haben. Als ich erfuhr, wie unermesslich reich er ist, war ich erst einmal sprachlos, und daran muss ich mich erst noch gewöhnen.

Ich hätte nie gedacht, dass ihm das Leaflee Hotel, ein Privatjet und ein Haus in vielen großen Städten der Welt gehören würden. Und ich bin jetzt ein Teil dieses Lebens geworden. Jetzt kommt mir mein früheres Leben mit Shelton wirklich vor, als wäre es ein ganzes Leben her.

Nach dem letzten Telefonat mit ihm lief jede Kommunikation über unsere jeweiligen Anwälte. Da ich nichts mehr von ihm brauchte, kämpfte ich nicht um Unterhalt oder einen Anteil an unserem Vermögen. Meine Scheidung wurde letzte Woche vollzogen, deshalb hatten wir mit der Hochzeit gewartet. Holden wollte, dass wir noch am Tag der Scheidung heiraten, aber ich wollte einen Neuanfang, der nichts mit der Vergangenheit zu tun hat.

Ich erlaubte mir eine kleine Genugtuung bezüglich Sheltons Ungläubigkeit, nachdem er herausgefunden hatte, wer mein neuer Schwarm gewesen ist. Mein Gesicht ist inzwischen aber schon seit geraumer Zeit überall in den Nachrichten zu sehen. Offensichtlich ist dieses pikante Stück Klatsch und Tratsch eine internationale „Nachricht", da ja ein prominenter Junggeselle vom Markt genommen wird. Diese Nachricht hat jetzt schon viele gebrochene Herzen ausgelöst.

Ich wurde mit Angeboten vom Fernsehen, von anderen Nachrichtensendern und dergleichen bombardiert, denn jeder scheint alles über unsere Beziehung wissen zu wollen und wie alles begann. Jedes einzelne Angebot habe ich ohne Bedauern abgelehnt. Ich bin nicht daran interessiert, meine wunderbare zweite Chance auf gut Glück in eine Freakshow zu verwandeln.

Meine Eltern und sogar ehemalige Freunde aus meiner alten Stadt, die alle auf Sheltons Seite standen, haben sich gemeldet, aber ich ignoriere sie weiterhin. Vielleicht wird man meinen Eltern irgendwann einmal vergeben, aber im Moment tut es zu sehr weh, dass sie mir die Schuld am Scheitern meiner Ehe gegeben haben. Wäre ich eine gute Ehefrau gewesen, hätten sie gesagt, er hätte mich nicht verlassen.

Die Menschen in Arelis Springs sind jedoch wunderbar. Wir haben neue Freunde gefunden und fühlen uns als Teil der Anderen. Sie haben sogar alle Aasgeier abgewehrt, die hier abstiegen und hofften, einen Blick auf uns zu erhaschen. Jetzt sind wir zum Glück nur noch fade

Nachrichten von gestern und sie sind zu anderen, aufregenderen und berichtenswerteren Berühmtheiten weitergezogen.

Unsere schlichte und gemütliche Zeremonie wird im Garten stattfinden, gefolgt von einem Empfang auf der Terrasse mit einer Auswahl an Speisen von Lulu. Unsere Flitterwochen werden wir in der toskanischen Weinregion in Italien verbringen - ein Lebenstraum von mir!

Holden hat uns eine Villa auf dem Grundstück eines Weinguts gemietet. Ich hatte mich fast scherzhaft darüber gewundert, dass er dort nicht schon ein Haus hat, bis mir klar wurde, dass er sich eins gekauft hätte, wenn ich das gesagt hätte. Es wird schwer, aber ich glaube, ich kann mich wirklich an dieses Luxusleben gewöhnen, in der Geld keine Rolle spielt. Okay, Spaß beiseite!

Doch da klopft es an der Tür. „Ich bin's, Baby“, sagt mein Liebster von der anderen Seite. Ich winke ihn herein, aber ich kann mir nicht verkneifen zu sagen

„Bringt es nicht Unglück, die Braut vor der Hochzeit im Hochzeitskleid zu sehen?“

Er kommt leibhaftig herein und sieht in seinem maßgeschneiderten schwarzen Anzug einfach nur extrem gut aus. Ich hole tief Luft und stoße dann ein schlichtes „Wow“ wieder aus.

„Das Gleiche kann ich von dir sagen“, sagt er anerkennend, während er mich von oben bis unten mustert. „Außerdem finde ich nicht, dass es Unglück bringt, dich *in dem Kleid* zu sehen“, sagt er mit Nachdruck.

„Ich habe nichts dagegen einzuwenden...“, fügt er mit einem Augenzwinkern hinzu.

„Ich liebe dich, Kara. Ich werde den Rest meines

Lebens damit verbringen, dich glücklich zu machen. Das verspreche ich dir!“

„Ich liebe dich auch“

Meine Welt ist nun endlich komplett!

XOXO

Ich hoffe, dieser kurze Einzelroman über die Bewohner von Arelis Springs hat dir gefallen! Melde dich doch auch für meinen Newsletter an, damit du immer informiert bist, wenn ein neuer Roman erscheint oder wenn es eine Überraschung gratis gibt!

Wenn du dich jetzt für meinen Newsletter anmeldest, bekommst du ein Exemplar von „Mollys Leidenschaft“ als Geschenk von mir.

* * *

BITTE MACH MIR EINE FREUDE

Falls dir das Buch gefallen hat, kannst du auf der Plattform, auf der du es gekauft hast, eine Rezension hinterlassen. Diese sind wichtig für Indie-Autorinnen wie mich, die keine großen Verlage hinter sich haben.

Suche dafür einfach nach dem Link REZENSION HINTERLASSEN auf der Website. Deine Rezension hilft auch dabei, andere auf das Buch aufmerksam zu machen, die Spaß daran haben können.

Und immer, wenn ich all die lieben Zeilen lese, freut mich das und spornt mich an, noch besser zu werden. Bitte lass mich wissen, was dir an diesem Buch am besten gefallen hat!

* * *

WAS KÖNNTEST DU ALS NÄCHSTES LESEN?

Die Rothaarige ***des Milliardärs***

Können der grantige Milliardär und die temperamentvolle Apothekerin jene Liebe gemeinsam entdecken, von der keiner von ihnen wusste, dass sie sie wollen?

CARMEN:

Nach meiner langen Schicht wollte ich einfach nur

nach Hause und den Sturm aussitzen, so wie alle anderen auch. Durch einen simplen Fehler musste ich dem heißen und grantigen Milliardär, der an diesem Abend vorbeikam, ein dringend benötigtes Medikament übergeben. Ich hätte wahrscheinlich jemand anderen dafür finden können, aber ich wollte ihn unbedingt noch einmal sehen...

WALTER:

Ich habe mein erstes Treffen mit der umwerfenden rothaarigen Dame hinter dem Tresen vermasselt. Der Zufall bringt sie nun direkt zu mir und ich könnte nicht glücklicher sein über diese Chance, neu anzufangen. Sofern sie mich lässt...

DIE FUNKEN FLIEGEN, als die beiden in einem Schneesturm gezwungen sind, Zeit miteinander zu verbringen. Eine Nacht könnte bereits genügen, damit sich diese Gegensätze ekstatisch anziehen, aber wie wird sich das Einmischen seiner Mutter auswirken?

KEINE BETRÜGEREIEN ODER CLIFFHANGER, nichts als eine kurze und stürmische Romanze!

VIELEN DANK

Ich danke dir für deinen Kauf meines Buches, ich weiß das wirklich zu schätzen! Du hast mir den Tag versüßt!

Falls dir das Buch gefallen hat, kannst du dort, wo du es erworben hast, eine Rezension hinterlassen. Rezensionen sind wichtig für Indie-Autoren wie mich, die keine großen Verlage hinter sich haben.

Bitte halte einfach Ausschau nach dem Link *BEWERTUNG HINTERLASSEN*! Deine Rezension hilft mir dabei, auch andere auf dieses Buch aufmerksam zu machen, denen es ebenso Freude bereiten könnte.

Immer, wenn ich all die lieben Rezensionen lese, freut mich das und spornt mich an, noch besser zu werden. Bitte lass mich wissen, was dir an diesem Buch am besten gefallen hat!

Einige meiner Bücher sind jetzt auch als Hörbücher über meine Website erhältlich, ebenso wie die komplette Milliardärs-Serie! Melde dich einfach über die Website für meinen Newsletter an, um über alle Neuerscheinungen und Extras auf dem Laufenden zu bleiben!

ICH DANKE DIR!

AUCH VON VESTA ROMERO

Wird dieser Milliardär seine engelsgleiche Krankenschwester auch weiterhin lieben, nachdem er seine Bandagen los ist?

. . .

Zuri

Ich bin das typische Klischee einer unabhängigen Frau! Ein glücklicher, zuverlässiger und temperamentvoller Workaholic mit einem Leben, das meine Freundinnen vielleicht langweilig nennen würden, aber wer braucht schon einen Mann, wenn man einen erfüllenden Job als Krankenschwester in der Notaufnahme hat? Zuerst muss ich meine beträchtlichen Kredite aber einmal loswerden. Dann, und nur dann, kann ich mich vielleicht auf die Liebe konzentrieren. Alle rationalen Gedanken verlassen mich jedoch schlagartig, als ich den geheimnisvollen blinden Mann antreffe, der in meiner Obhut landet, und ich eine leichtsinnige Entscheidung treffe. Wird es das wert sein?

Kent

Ich war ein glücklicher Junggeselle, der gerade eine große Fusion abgeschlossen hatte und sich auf dem Heimweg befand, als mich ein schrecklicher Unfall in die Notaufnahme beförderte. Ich wache verwirrt und in völliger Dunkelheit auf. Vorübergehende Blindheit sagen die, aber stimmt das auch? Mein Schutzengel, diese Krankenschwester, bereitete mir schon bei der ersten Berührung weiche Knie und ich bin unsterblich in sie verliebt. Ich muss sie für mich gewinnen, denn sie bedeutet mir mehr als all meine Milliarden.

Alle sind sich einig über diese gegensätzliche Beziehung, Freunde und Familie zugleich.

Ist die Liebe wirklich so blind, wie man sagt, und besiegt tatsächlich alles andere? Oder wird diese Magie so vorübergehend sein wie vorübergehende Blindheit?

Wenn du auf Geschichten über zimtartige Helden, Milliardäre und dralle Frauen stehst, dann ist dieses Buch genau das Richtige für dich.

https://vestaromero.com/product/der-erblindete-miiliardar/

Heißer Skilehrer trifft Citygirl. Können diese beiden gegensätzlichen Menschen die Liebe finden und es zusammen schaffen?

Cam:

Es sollte eigentlich nur ein weiterer langweiliger Tag auf der Anfängerpiste werden, bis diese kurvenreiche und extrem heiße Frau gerade rechtzeitig auftauchte, um mein Leben auf den Kopf zu stellen. Krankenpfleger zu spielen hat sich noch nie so gut angefühlt!

Misty:

Im Herzen bin ich ein Stadtmädchen, ein Fisch außerhalb des Wassers in diesem Resort hier. Ich habe nur auf Drängen meiner besten Freundin zugestimmt, hierher zu kommen. Jetzt kann sie nicht kommen und ich sitze fest. Alles, was ich will, sind die kostenlosen Annehmlichkeiten, die es in der Suite zu genießen gibt. Eine impulsive Entscheidung, mit dem heißen Skilehrer eine Skistunde zu nehmen, lässt mich schließlich auf dem Hintern landen und alles in Frage stellen, woran ich je geglaubt hatte...

https://vestaromero.com/product/die-liebe-und-der-skilehrer/

Eine stürmische Romanze mit Altersunterschied und drallen Rundungen

Hat sie Angst vor der Liebe? Oder schämt sie sich nur, *ihn* zu lieben?

Casey:

Als Milliardärin, eine der wenigen, die es ganz nach oben geschafft haben, verbringe ich meine Zeit damit, mein Imperium zu vergrößern. Die Liebe ist dabei so lange auf der Strecke geblieben, dass ich schon Rost angestzt habe. Wegen eines Triebwerkschadens an meinem Privatjet musste ich schließlich unerwartet einen Linienflug nehmen - ganz so, wie jeder andere auch. Und an Bord habe ich *ihn* kennengelernt. Jung, heiß und sexy! Meine weiblichen Triebe sind ihm hoffnungslos erlegen. Und mein Herz? Ein einziges, heißes Durcheinander...

Tyler:

Als Ersatz für einen anderen Rancher wurde ich kurzfristig für einen Trip nach London auserwählt. Allein bei der Erwähnung der Erste-Klasse-Tickets gab es für mich kein Halten mehr! Und die Frauen? Zweifellos finden sie mich attraktiv, aber ich bin kein Playboy. Diese eine zufällige Begegnung mit einer drallen und erotischen Dame hat ohnehin alle anderen aus meinen Gedanken verbannt. Ich weiß genau, wie ich für sie fühle, und der Altersunterschied macht keinen Unterschied für mich. Doch *sie* ist die Einzige, die diese Frage nach unserer Zukunft beantworten kann.

Falls du auf Geschichten über Reichtum, Alters- und Klassenunterschiede, sowie sexy Cowboys stehst, dann ist dieses Buch genau das Richtige für dich! Garantiert mit Happy End!

https://vestaromero.com/product/der-hengst-der milliardarin/

DEMNÄCHST VERFÜGBAR:

Tritt dem Newsletter bei, um über neue Veröffentlichungen informiert zu werden.

https://vestaromero.com/deutsche/

In der Obhut des Ranchers

Kann dieser Rancher die Frau in Gefahr, die er gerettet hat, erneut einfangen?

AMBER:

Vor einem Jahr bin ich vor meiner Vergangenheit geflohen und lebe jetzt in dieser malerischen Stadt weit, weit weg von allem. Jetzt hat er mich gefunden und mein neues Leben auf den Kopf gestellt. Als ich mich in einer gefährlichen Situation wiederfand, schien alles verloren, bis mein Rancher zu meiner Rettung auftauchte. Jetzt, wo ich sicher unter seiner Obhut stehe, kann ich mich endlich entspannen! Dann taucht Axel, mein knallharter Ex, wieder auf wie ein böser Albtraum...

Fletch:

Ich bin glücklich, ein Junggeselle zu sein und meine Ranch zu führen. Dann lerne ich plötzlich Amber kennen, eine wunderschöne Frau mit einer geheimen Vergangenheit. Sie zu retten und zu beschützen war unvermeidlich, und das nicht nur, weil ich auf ihren kurvenreichen Körper abfahre...

Kann er sie noch einmal rechtzeitig retten?

Hier gibt es KEINE Betrügereien und KEINE Cliffhanger. Ein süßes, sexy Happy End ist garantiert...

ÜBER DIE AUTORIN

Vesta Romero schreibt Liebesgeschichten über kurvige Frauen und jene Männer, die sie lieben.

Sie lebt mit ihrem Mann und ihrem in Texas geborenen Hund in Spanien. Wenn sie nicht gerade schlüpfrige Bücher schreibt, genießt sie Margaritas und Actionfilme. Sie würde sich freuen, von ihren Leserinnen und Lesern zu hören! Du kannst sie auf Tik-Tok, Twitter oder Instagram erreichen.

Wenn du über Neuerscheinungen und Sonderangebote auf dem Laufenden bleiben willst, melde dich doch einfach über ihre Website für ihren Newsletter an!

Vesta Romero

Einfach mit deinem Smartphone scannen!

Vestas Geschichten sind kurz, heiß, stürmisch und mit garantiertem Happy-End ausgestattet!

Milton Keynes UK
Ingram Content Group UK Ltd.
UKHW010643021023
429777UK00001B/11